Photo Flammarion

Philippe Dejon

Philippe Dejon est né en 1952. Il est administrateur de spectacles. *La Honte* est son premier roman.

LA HONTE

PHILIPPE DEJON

LA HONTE

roman

Rue Racine
Flammarion

© Flammarion, 1990.
ISBN : 2-08-066512-X

Imprimé en France

« *On est guéri quand on est fier de soi.* »

Bruno Bettelheim

Ma mère est morte un soir, en plein milieu d'une nuit... Elle est morte comme ça devait finir, comme c'était prévu qu'elle meure depuis long-temps, en plein milieu de la nuit... Elle est morte dans son sommeil, à l'abri, dans sa chambre, à côté de sa table de nuit, tout près de ses médicaments... Elle est morte face à son armoire, sous son crucifix, en se regardant mourir dans la glace, comme pendant des années... Allongée sur le dos, avec juste le menton qui dépasse, sans tousser, sans prévenir, sans défaire ses couvertures, elle s'est éteinte dans le noir, elle a disparu.

C'est moi qui l'ai trouvée le matin avant de partir à l'école :

— J'y vais maman...

J'ai attendu dans le couloir son petit encouragement... Oui mon grand, couvre-toi bien, travaille bien à l'école et sois sage ! Fais bien attention en traversant...

J'ai attendu, attendu, j'ai senti une froideur qui remontait le long de la colonne vertébrale, j'ai respiré une drôle d'odeur... Ça s'est échappé quand j'ai ouvert la porte, ça s'est engouffré dans le couloir pour prévenir à ma place, un courant d'air chaud, gluant, qui s'incruste au fond de la gorge, une odeur qui reste en soi.

Je me suis bouché le nez, obligé, pour pas tout avaler... J'ai fait un pas dans la pénombre, bien le long du mur... Je l'ai regardée, elle était morte, je m'y attendais, elle avait la bouche ouverte, impossible de revenir en arrière, ça fait grave à regarder.

Je suis resté, je sais pas, j'ai pas appelé, pas crié, j'étais seul à la maison, elle et moi... J'ai pensé que j'allais être en retard à l'école, j'ai pensé que j'irais

11

pas à l'école aujourd'hui... Je l'ai regardée une dernière fois avant de partir, j'ai trouvé qu'elle avait maigri sous le masque, un air dur, la mort sur le visage de ma mère, j'ai eu envie de glisser contre le mur et de m'asseoir par terre...

Ça s'entend le silence dans la chambre d'un mort, si on écoute, on dirait que ça gronde sous un voile, on dirait que ça cherche encore à battre par en dessous, si on imagine... Tout était immobile, juste à sa place, ses pilules à côté de son verre d'eau, son thermomètre dans le tiroir, son chapelet sous le traversin... J'ai surpris le réveil dans l'ombre, sur la table de nuit, c'est le seul indice que j'ai découvert... Il s'était rien passé, il s'était rien produit d'extraordinaire dans sa chambre, ça n'avait rien changé à l'ordre de ses choses... Elle était morte seulement et tout était devenu mort au même moment, elle avait tout emporté avec elle, c'est l'impression que plus rien ne sert à rien dans la chambre d'un mort.

J'ai aperçu les fleurs de son anniversaire au ras des couvertures, je me suis souvenu quand je les avais apportées dans un vase, en triomphe, en faisant le grand tour de son lit... Que des fleurs blanches, que des œillets, un gros bouquet pour lui faire plaisir ! C'était la semaine dernière... Je me suis souvenu comme j'avais décidé de les poser par terre tout près de son lit, le plus près possible d'elle, juste pour que les fleurs dépassent à la hauteur de son visage, que le parfum lui arrive directement dans la figure... Elle avait fait exprès d'ouvrir grand les yeux, comme une apparition, comme pour respirer en plus par les yeux, elle avait dit merci comme si ça venait de pousser des couvertures !

Elle disait qu'elle aimait les fleurs blanches... Fleurs de propreté, fleurs de naissance ! Elle disait qu'elle avait une passion pour les œillets, des fleurs qui sentent dans une pièce... Qui embaument ! Elle écartait les narines pour qu'on comprenne, à travers toute la pièce ça voulait dire... Des fleurs honnêtes les œillets, des fleurs qui vous lâchent pas au bout d'une semaine, à condition de leur couper le bout de la queue et de changer l'eau tous les jours !

Elle avait raison, elles étaient pas fanées ses fleurs, encore toutes blanches dans sa chambre, elles se voyaient bien dans le noir.

Je me suis souvenu que j'avais touché à ses rideaux, un peu de jour, et entrouvert la fenêtre, un filet d'air avec sa permission... J'étais revenu m'asseoir au bord du lit, une fesse dans le vide, mais elle m'avait saisi par les mains... J'étais son grand, j'étais son bâton de vieillesse, elle pouvait compter sur moi.

On était resté un moment sans bouger, à écouter les bruits de la rue, les bagnoles à tout berzingue sur la nationale en bas... Elle avait fermé les yeux, respirant l'air pur comme un calmant à la lumière, elle s'était presque endormie.

J'avais patienté encore un peu dans la cage de son lit, j'avais retiré mes mains délicatement de leurs attaches, glissant du lit sans faire de vagues, j'avais posé un baiser sur sa tempe, plein de gentillesses pour de vrai, j'étais sorti...

Des fois, au lieu de s'endormir, elle disait qu'elle allait lire :

— Allez mon grand !

C'était une sage décision, elle avait choisi de reprendre des forces en lisant... Allez ! J'étais chargé de lui apporter ses lunettes en même temps que ses journaux :

— Dans le dernier tiroir de la commode !

Elle remontait son réveil pendant ce temps-là, elle le mettait à sonner dans une heure, peur de s'envoler dans des rêves, de plus savoir revenir... Elle allumait sa lampe de chevet, même en plein jour, elle pouvait plus lire sans lumière... Elle astiquait ses lunettes avant de tourner les pages, elle faisait sa soigneuse devant la glace de l'armoire, bonne élève appliquée, bon ouvrier a toujours ses outils.

Elle relisait ses vieux *Echos de la mode* du Maroc, pour reprendre des forces, la pauvre, elle se voyait plus dans sa glace... Des fois, elle s'endormait avec ses lunettes, avec sa lumière allumée !

Je touchais à rien, je fermais la porte, je faisais semblant de pouvoir l'oublier...

Une fois, je m'en souviendrai toute ma vie, on regardait la télé avec mon père un dimanche après-midi, en attendant le tiercé sur les commentaires de Léon Zitrone... Tout d'un coup, ça a sonné ! On s'est regardé, on attendait personne... Peut-être ma sœur qui revenait nous faire une surprise ?

Mon père est allé ouvrir en tricot de peau, il a pas reconnu tout de suite qui c'était qui nous dérangeait en plein dimanche...

— Alors Francis... On reconnaît plus son frère ?

Une voix d'homme...

— Roland !

— Salut !

Il a ouvert la porte en grand :

— Roland ! Alors ça...

— Salut Francis !

Ils ont failli s'embrasser sur la bouche en se reconnaissant, ils se sont jetés dans les bras l'un de l'autre entre frères, ils se sont embrassés longtemps avec une main qui frappe dans le dos, ils arrivaient plus à se décoller tellement ils se serraient.

— Alors ça, il en revenait pas mon père, alors ça ! Sans arrêt...

L'autre, il disait rien, le fameux Roland, il avait l'air de le prendre plus calmement, il a même réussi à se détacher...

Ils se sont regardés en face, ça faisait une éternité qu'ils s'étaient pas revus, ils ont pas su trouver les mots à se dire, ils étaient trop contents.

Mon père s'est mis à bouger le premier, il est devenu pressé de le faire entrer :

— Entre !, il a dit...

Il a tourné la tête vers moi, il a été surpris de pas me voir :

— Allez rentre !

J'étais parti dans mon coin dans la cuisine, je les observais sans me montrer... J'avais gardé ma tartine de confiture à la main, mais j'osais plus la manger, pour pas faire de bruit, je voulais pas déranger les retrouvailles, je comprenais... Je tremblais, ça me faisait toujours un drôle d'effet quand y'avait quelqu'un de nouveau à la maison.

Mon père m'a vu ! J'ai dû sortir à découvert dans la salle à manger, en cachant ma tartine...

Il était plus tellement à l'aise en tricot de peau, devant quelqu'un d'important, il s'est dépêché de remettre une chemise tout en m'expliquant que le monsieur s'appelait Roland, que c'était son frère, son petit frère bien entendu, le plus jeune des trois, il s'est marré, le grand dernier de la famille !

Y'avait la télé qui marchait, c'était du sport, de la gymnastique aux barres parallèles...

16

— Philippe, va dire bonjour ! On s'embrasse avec son oncle !

Je me suis approché directement, trop obéissant, l'automate, la momie...

L'oncle a fait mine de s'accroupir les bras écartés, bon accueil, effort de grande personne... Seulement il était gros et il a compris qu'il serait dans une mauvaise position avec sa bedaine à bascule, il m'a attrapé sous les bras, je me suis pas défendu, il m'a monté, j'ai senti que j'étais lourd pour lui, on s'est retrouvé figure contre figure...

Il a souri ! J'ai vu qu'il avait une dent gâtée en haut juste devant, une fausse note au clavier, j'ai dévié la tête pour qu'il m'embrasse les cheveux.

C'est là que j'ai saisi la ressemblance avec mon père, de près... La manière de vieillir du visage, les rides aux mêmes endroits, qui descendent de chaque côté du nez... Les mêmes taches sur les joues, des milliers de minuscules pointes rouges qui se fondent sur la peau, le même buveur de vin, le même faux alcoolique... Et le regard par-dessus le marché, la même façon de vouloir s'en servir, fixateur, perce-tout, les yeux qui peuvent devenir fous de méchanceté !

Il m'a serré ! Il a joué à celui qui serre très fort sans faire mal, jusqu'à en trembler sur ses gui-bolles... Il voulait me dire qu'il m'aimait, je devais comprendre qu'il m'adoptait dans son cœur, ça m'a donné l'idée de pleurer presque, mais je me suis demandé d'abord... Peut-être qu'il comprendrait pas sûrement, ça nous gâcherait tout.

Je me suis concentré sur ma tartine de confiture dans son dos, pourvu que ça lui tache pas son pardessus.

Mon père a éteint la télé ! Signal d'arrêt, rupture avec l'oncle, il a stoppé net de serrer, débranchés en même temps que la télé.

Il a choisi un autre jeu pour me redescendre, il a desserré les bras progressivement... Je suis devenu trop lourd, j'ai commencé à glisser en m'accrochant à lui par-derrière, désespérément avec ma tartine...

On s'est regardé pendant que je dégoulinais par terre, en serrant les paumes... Il a compris quand j'ai montré ma tartine, intacte ! C'était muet entre nous.

Mon père lui a conseillé de s'installer dans le fauteuil, l'unique, en face de la télé, et d'enlever son manteau :

— Parlons peu mais parlons bien ! Qu'est-ce que tu bois d'abord ?

Non merci, il avait pas soif, simple visite de courtoisie, il s'est assis avec son manteau sur les genoux.

Mon père a fait semblant de pas entendre, il a ouvert la porte du buffet...

C'est-à-dire qu'il avait pas le temps de s'éterniser aujourd'hui, enfin c'est surtout qu'il avait pas prévu de nous retrouver en fait aujourd'hui, enfin pas exactement, je t'explique... Figure-toi qu'il passait par hasard en voiture sur la nationale là juste devant et figure-toi qu'il avait reconnu l'immeuble au passage depuis le temps, il s'était souvenu du quatrième étage tout d'un coup... C'est là où ils habitaient avant ! Je vais m'arrêter chez le concierge, on ne sait jamais, le concierge peut avoir une adresse, on doit bien pouvoir les retrouver quand même ! Et alors là, surprise chez le concierge, la surprise de sa vie, il s'imaginait pas qu'on puisse habiter encore là... Encore là-dedans, j'ai compris !

Mon père a sorti la bouteille de pastis et deux grands verres à apéritif :

— Va me chercher de l'eau au frigidaire !

J'ai posé ma tartine sur la table...

L'oncle a fait comme s'il pouvait plus refuser maintenant que la bouteille et les grands verres à apéritif étaient sur la table, faute avouée à moitié pardonnée.

— Et ramène des glaçons !

— Non non, pas pour moi, pas de glaçon, merci ! il a dit, l'oncle, en posant la main sur son ventre, avec une grimace à l'estomac...

— Bon, pas de glaçon !

Mon père aussi il était paresseux des intestins, maladie de famille, maladie des pays chauds.

Y'avait encore un peu de soleil en poussant complètement la porte de la cuisine, de la lumière chaude qui s'est déversée dans la salle... J'ai laissé ouvert en revenant, j'ai montré que je savais faire attention avec la bouteille, elle était pleine à ras bord et glacée, je la tenais à deux mains, une par en dessous, bon serviteur... J'ai essayé de faire le moins de bruit possible en la posant sur la table, serviteur heureux.

— Tout le monde va bien, il racontait, l'oncle, les enfants, les études, tout le monde a bien grandi, c'est devenu la vraie famille tu sais !

J'ai récupéré ma tartine et je me suis assis sur une chaise à table, avec eux.

— Toujours au boulot bien sûr, toujours au magasin, toujours le même, toujours marié avec la même femme tu vois, rien de changé...

Mon père lui a coupé la parole parce que j'avais pas essuyé sous la bouteille et que l'eau ça faisait des marques sur le bois de la table :

— Nom de dieu ! Il a crié...

J'en ai oublié ma tartine, je me suis précipité dans la cuisine, j'ai failli ramener l'éponge, je suis vite retourné avec un torchon, j'ai moi-même frotté sur la table, sur la table et sous la bouteille, sous la surveillance des yeux, j'ai été remettre le torchon à sa place et quand je suis revenu, mon père a dit :

— Assieds-toi et mange !

Ils ont trinqué debout, l'oncle avec son manteau sous le bras...

Mon père a levé son verre en direction de la cuisine, observant la clarté à travers :

— A nous !

— A nous !

Ils ont bu, ils ont avalé, mon père en fermant les yeux.

Ils sont restés debout, le verre à la main, ils avaient l'air de penser chacun à la même chose mais chacun de leur côté.

L'oncle a failli renverser son verre en retombant dans le fauteuil !

Mon père a choisi la chaise en face de lui, celle qui gêne de profil quand on regarde la télé du fauteuil, la mauvaise qu'on repousse tout le temps contre le mur, il m'a jeté un coup d'œil avant de s'asseoir...

J'ai mordu une grosse bouchée pour obéir, seulement j'avais plus très faim maintenant...

— Alors, il a dit l'oncle en s'adressant à moi par traîtrise, dis-moi un peu Philippe, elle est là ta grande sœur ?

J'ai mis mes deux mains sur la table involontairement, j'ai rougi, j'en avais plein la bouche !

— Qu'est-ce qu'elle fait la Monique aujourd'hui ?

Ça m'a catastrophé qu'il sache que j'avais une sœur, qu'il sache pas que j'en avais plus de sœur, parce qu'elle était partie de la maison, Monique, elle habitait plus avec nous parce qu'elle s'était encore disputée avec mon papa...

Mon père a claqué sa langue, j'ai deviné l'urgence du message, je me suis dépêché de mâcher, j'ai secoué la tête pour montrer que j'étais pressé d'avaler :

— Je sais pas, j'ai bafouillé...

Et c'est tout ce qui m'est sorti en même temps que des miettes de salive qui sont restées collées au bord de la table... De la confiture mélangée, la série des catastrophes sur la table ! La décomposition du visage de mon père, les yeux ! C'est comme quand tu vas te faire écraser par une voiture, tu regardes, t'as le temps, t'y peux plus rien !

Mais au dernier moment, l'oncle lui a coupé le sifflet :

— La Monique, il a lancé, la petite Monique !

Comme si c'était loin pour lui, tellement du passé...

Et juste à ce moment-là, je m'en souviendrai toute ma vie, j'ai fait le grand tour de ma vie à ce moment-là, j'ai entendu ma mère qui appelait, assez faible, au loin, dans sa chambre... La punition !

Alors moi, dans ces cas-là, j'ai l'impression que ça devient tout petit autour de moi, je vois les choses en très loin et souvent ça m'arrive quand j'ai la fièvre dans mon lit, quand je suis pas sûr de pas en mourir et que je regarde par la fenêtre, je la vois qui s'éloigne-loigne-loigne, de plus en plus minuscule, elle va peut-être disparaître si ça continue... Et je sais que ça me vient de la voix de mon père, de ses explosions de colère après ma mère, après ma sœur, la violence qui s'acharne sur tout ce qui bouge, sur tout ce qui l'entoure... J'entends la rumeur qui monte, un roulement de tambour qui gronde, qui culmine avec la fièvre et qu'on sait pas si ça va s'arrêter... Et à chaque fois, c'est drôle, je repense au fameux proverbe, pierre qui roule n'amasse pas mousse et j'imagine un grain de poussière qui dévale la pente, qui prend de la grosseur et qui va tout m'écraser !

C'est devenu chaud dans toute ma poitrine, ça s'est mis à me brûler pour respirer, j'ai cru que j'allais pas pouvoir me retenir... J'ai fait semblant de m'étouffer à cause d'une miette dans la gorge, j'ai toussé en mettant ma main devant la bouche, mon bras devant les yeux, j'ai avalé ma respiration comme si j'avais voulu tout que ça s'arrête.

Elle appelait pas vraiment, elle se plaignait pas exactement, elle venait de se réveiller, on avait du temps avant de se déranger... J'ai inventé n'importe quel sacrifice pour qu'elle appelle plus, pour qu'elle existe plus.

Il avait rien entendu l'oncle, c'est mon père qui s'est mis à parler, j'ai pensé à ce qu'il devait ressentir en face de son frère... Je me souviens plus des paroles, j'ai un souvenir du ton de sa voix, j'ai entendu qu'il mentait ! Il avait dû l'entendre lui aussi... J'ai pensé que c'était bien fait pour lui !

J'avais les yeux braqués sur l'oncle Roland, en point de mire sur sa dent gâtée, j'avais l'impression qu'elle grossissait dans sa bouche, que ça lui poussait dans la bouche...

Elle a appelé une deuxième fois et puis plus fort la troisième, jusqu'à ce que l'oncle s'en aperçoive, j'ai cru qu'il se dégonflait dans le fauteuil... Y'a eu un instant de suspens, de souffrance au-dessus du vide, j'étais paralysé sur ma chaise, je me rendais compte de tout !

Mon père a pris une longue inspiration, comme si c'était dur à sortir :

— C'est Jeanne...

Il a pas contrôlé la suite, il s'est brouillé, comme si la vérité lui écorchait la gorge :

C'est Jeanne, j'ai pensé tout haut à sa place, c'est ma mère dans sa chambre, elle est malade parce qu'il est toujours en train de crier, parce qu'il arrête pas de lui faire des misères !

Et puis elle a encore appelé, alors là je sais pas ce qui m'a pris, j'ai bondi tellement vite que je me suis cogné à la table, ça m'a transpercé les côtes mais j'ai rien senti, mon père a crié quelque chose, j'ai couru en claquant la porte du couloir derrière moi !

La porte au fond à gauche, après le renfoncement de la salle de bains, je suis rentré en plein dedans avec l'épaule, la poignée qui perce son trou dans le mur !

Elle a eu peur ! Elle s'est accrochée aux couvertures pour se protéger... Mais je lui voulais pas de mal, chut maman, CHUT je voùlais lui dire, y'a quelqu'un, c'est l'oncle Roland, il va bientôt partir !

J'ai reçu un formidable coup de massue à l'emplacement de la nuque, je me suis plié d'un cran, en avant raide dans les couvertures !

Ma mère s'est mise à hurler comme une sonnerie, l'alarme, j'ai cru que j'allais mourir...

— Fous-moi l' camp !

Jamais il m'avait frappé avec cette force-là, jamais avec le poing, jamais moi !

— Fous-moi l' camp !

Je pensais pas qu'il allait suivre si vite, je pensais que l'oncle l'aurait retardé, je pensais que je l'aurais entendu arriver dans le couloir...

— Fous-moi l' camp d'ici ou je t'étrangle sur le lit de ta mère !

J'aurais pas pu tout seul... Je me suis senti agrippé dans le dos, une force énorme par les habits, une plume, un oiseau, j'ai valsé dans le couloir... Je me suis imaginé dans le grand saut de la mort de l'escalier, un plongeon de huit marches par demi-étage, les deux mains en avant pour se rattraper à la barre de fer ronde et tourner, tourner le plus de tours possibles en restant suspendu... J'ai atterri dans le placard, je me suis fait mal à l'épaule, je me suis mis à pleurer.

L'oncle s'est approché de moi mais je me suis débarrassé de lui, je l'ai même pas regardé, je lui ai tapé sur les jambes ! Il avait découvert ma mère, il avait reconnu mon **père, c'**était fini avec lui ! Il aurait lu tellement de méchanceté en moi, tellement de **bonnes** raisons, il aurait fallu que je lui dise **tout,** tout depuis le début, je me suis enfui par l'escalier...

Quand elle allait mieux ma maman, le dimanche matin, quand c'était *Le Jour du Seigneur* à la télé, ou les jeudis après-midi si je rentrais pas trop tard de jouer dehors, elle m'appelait dans sa chambre, sa voix de petite fille malade, trop gentille, suppliante...

Je venais !

Elle me conseillait de fermer bien la porte du couloir pour qu'on soit pas dérangés, qu'on soit plus tranquilles, elle avait des choses à me dire en secret, en amoureux...

Je prenais ma place dans le fauteuil en face de son lit, à côté de l'armoire à glace, je la regardais.

Est-ce que j'avais pensé à faire mes devoirs, à bien apprendre mes récitations par cœur, elle me lançait les gros yeux pour sourire... Et l'histoire et la géographie mon grand, et les mathématiques ?

Je répondais oui les bras croisés, la grammaire et les fautes d'orthographe, et les sciences naturelles, j'attendais.

Elle me parlait du bon Dieu avant de recommencer, comme toujours avant de se mettre à table :

— Le bon Dieu, elle disait, tout doucement, le bon Dieu, le bon Dieu, le bon Dieu...

Elle allait pas plus haut, elle mesurait le risque en parlant du bon Dieu, le précipice entre lui :

— Il se trompe quelquefois le bon Dieu, il a le droit, c'est le danger de l'Univers ! Il faut apprendre à accepter ses erreurs, comme il faut apprendre à les accepter de bon cœur... La manne du ciel, quand ça tombe, y'a trop de gens ici-bas pour la recevoir, ça peut pas être équitable entre tous, c'est pour ça qu'il y a des guerres parfois, quand y'a trop de gens qui souffrent et tant d'autres qui se laissent vivre, sous prétexte qu'ils etaient sous la douche au moment du ciel !

— Les rescapés, elle les appelait, ceux qui se portent à merveille, ceux qui s'en foutent pas mal, ceux qui n'ont jamais été battus !

J'écoutais, je faisais semblant de m'intéresser, j'avais de la patience pour elle, mais tout ça je le savais depuis longtemps.

Elle disait qu'elle en aurait du chagrin à se faire rembourser en arrivant chez le bon Dieu, elle tenait sa propre comptabilité dans le ciel depuis tant d'années, elle connaissait maintenant le prix d'une place au paradis, elle l'avait sentie passer l'addition toute sa vie ! Elle disait qu'elle aurait deux mots à lui dire au bon Dieu en le voyant, sur la façon de partager...

De telles mesures profanées devant la glace sous

l'œil du crucifix, elle trouvait qu'elle abusait un peu tout de même, elle donnait le mauvais exemple avec son sourire malin, elle se trouvait intelligente, elle se croyait plus forte en face de mourir, elle avait moins peur de s'endormir :

— Ton père ! Quand il dit qu'il a le sang chaud, il est originaire du Sud, c'est un pied-noir, il est né au Maroc !

C'était des phrases en l'air au début, des généralités de famille, confidences bien connues, à la va que je te pique :

— Ton père ! C'est un Français, né de parents français, des Bourguignons qui ont immigré au Maroc après la guerre de 14, comme beaucoup de Français...

C'était pendant nos brins de causette en amoureux dans sa chambre, elle avait décidé de m'ouvrir les yeux, il était temps que je sache, sérieusement, la vérité, comme si j'avais besoin d'elle :

— Ses parents étaient pas bien riches, tu penses, son père était cuisinier au mess des sous-officiers de l'armée française à Rabat... Sa mère faisait des lessives pour arrondir les fins de mois, tout en élevant ses trois enfants, trois garçons, Francis, Paul et Roland, ton père était l'aîné...

Il a fallu que je m'ingurgite le passé antérieur, l'héritage de toutes leurs erreurs, comme si j'en avais pas assez sur les épaules :

— Ton père ! Il a des excuses à faire valoir, il a été malheureux dans sa jeunesse, il a été trépané à sept ans, à la suite d'un choc ! Il a perdu son père de la tuberculose, à l'âge de quatorze ans, il s'est retrouvé chef de famille, il a dû abandonner l'école pour travailler et commencer à rapporter de l'argent... Il est rentré en apprentissage chez un boulanger qui était méchant avec lui, qui lui en a fait baver de toutes les couleurs, qui lui interdisait de manger la moindre bouchée de pain...

— Ça veut dire quoi trépané ?

— Ça veut dire qu'il a eu un trou dans la tête et qu'on l'a opéré, à la suite d'un choc... Sa mère était dure avec lui, elle le traitait à coups de bâton, c'était le seul moyen d'en venir à bout, d'assez dur pour qu'il obéisse, pas étonnant qu'il soit devenu un bon à rien !

C'était l'année de mon entrée en sixième, l'année où j'ai rien foutu à l'école, où j'écoutais pas en classe, ça m'intéressait pas ce qu'ils disaient en sixième :

— Ton père ! Il a été mal élevé, il a grandi à l'abandon, parmi les Arabes, la rue était son royaume ! Il a appris à voler, à mentir, à tricher, à se bagarrer...

L'année où la prof d'histoire-géo me disait :

— Vous vous traînez comme une larve dans l'enseignement secondaire, vous êtes tout juste bon à éplucher des pommes de terre, et encore, avec un an d'apprentissage !

Je passais ma vie à la porte, je ramenais des chapitres entiers de géographie à copier, avec les cartes à décalquer, à colorier, en respectant les couleurs :

— Ton père il a la même mentalité que les Arabes, il a toujours détesté les femmes ! Une femme pour lui ça compte pas, c'est bon à faire la cuisine, ça sert à produire des enfants ! Une femme pour lui c'est comme un animal, c'est fait pour se taire...

— Ton père à dix-huit ans, il est parti à la guerre en France, en 39, il s'est engagé dans l'infanterie, il a été fait prisonnier par les Allemands à Zuidcôte...

— Ton père quand il dit qu'il aime pas les Anglais, parce qu'ils nous ont brûlé Jeanne d'Arc ! C'est parce que les Anglais ont refusé de les embarquer sur leurs bateaux et qu'ils ont tous été fait prisonniers par les Allemands à Zuidcôte, c'est pour ça qu'il leur en veut...

— Ton père il a passé quatre ans de captivité en Allemagne, il était prisonnier-travailleur-obliga-toire dans la journée, il travaillait en ville dans une teinturerie, il a eu les yeux brûlés par un produit caustique et il est resté aveugle pendant six mois à l'hôpital avec un pansement sur les yeux... C'est de là que ça lui vient ses yeux rouges injectés de sang, l'air d'un fou !

Ma maman, quand elle tenait à quelque chose, même par un fil, elle se posait plus la question, elle tenait, c'était toujours ça de gagné dans son esprit... Elle était de l'ancienne école, dressée à l'huile de coude, pas le genre à dire qu'elle avait plus faim, plutôt devoir lécher son assiette, même si c'était pas bon.

Ma maman, en plus du bon Dieu, elle croyait en la bonne volonté, elle disait que ça l'aidait depuis tout le temps, c'était la championne de la bonne volonté ! Elle aurait tellement désiré que ça marche, que ça suffise, pour tout... Elle avait le sens de la durée, de l'endurance, elle savait le sens de l'effort, de la marche, comment on s'adapte dans l'existence à la longue, comment on peut finir par y arriver en se serrant la ceinture, comment on avance à l'usure, à grands coups de bonne volonté !

Mon père, à la fin de la guerre, il a choisi la France après la Libération, il avait pas envie d'y retourner au Maroc, à la pauvreté de ses parents... C'est comme ça qu'il a atterri en Normandie dans l'Orne et qu'il est devenu garçon vacher pour un paysan qui l'aimait bien au début, à ce qu'il paraît... ? Il était costaud mon père, une baraque, même après les années de guerre, il savait se rendre utile, il aimait bien couper du bois à la hache !

Le paysan, il avait cinq enfants, dont quatre filles, toutes plus ou moins en âge de se marier... Mon père a pris la première, l'aînée, pour être sûr de pas se tromper, il a compris tout de suite que ça serait un bon moyen de s'en sortir que d'appartenir à la belle-famille, et que de faire un enfant à la fille... Enfin, il a bien fallu qu'il la séduise avant, il a bien fallu qu'ils fassent l'amour un jour ensemble, qu'elle accepte de se laisser faire dans le foin.

Le soir où ils ont annoncé la nouvelle, avant que la famille se mette à table... Ça lui a coupé l'appétit au grand-père ! Il a vu rouge, il a attrapé sa carabine, il a voulu les tuer, il voulait tuer sa fille

en premier, il voulait tuer tout le monde à la fin...
Il a tout de suite insinué que mon père l'avait
violée, c'était pas possible autrement ! Il a proclamé qu'on n'élevait pas des filles à la campagne
pour qu'elles se fassent engrosser par le premier
garçon vacher qui passait ! Il a juré qu'il voudrait
jamais entendre parler d'un bâtard chez lui, qu'il
l'accepterait jamais sous son toit ! Il a traité mon
père de maquereau et il les a virés de chez lui à
coups de pied dans le cul, allez ouste ! Tous les
deux ! Puisqu'elle tenait tant à le garder son
bâtard, dehors, sans rien !

Il était plutôt riche le paysan, voilà le problème,
il avait pas tout perdu à la guerre, c'était difficile
pour mon père de pas avoir l'air de lorgner sur le
magot...

Seulement il était pas décidé à se faire avoir :

— Gentil n'a qu'un œil, moi j'en ai deux !

C'était pas prévu que ça se termine comme ça
dans son esprit, il se gourait le grand-père en
croyant qu'on pouvait se débarrasser de lui à si
bon compte, sur une colère... Les bons comptes
font les bons amis, il allait vite s'en apercevoir !

Il a attendu que ça se tasse un jour ou deux et
puis il est revenu le trouver entre hommes, les
mains vides... Et là, il a déballé ce qu'il avait sur le
cœur, il s'est caché de rien : Primo, ça commençait
à faire un drôle de raffut dans le pays cette histoire
de bâtard et c'était pas lui le plus emmerdé dans le
coup, il avait plutôt intérêt à ce que ça se sache lui,
que les gens comprennent bien ce qui s'était passé

et comment il se comportait avec eux, comment il les avait chassés sans ressource, avec un enfant à naître, et pourquoi il voulait rien faire pour les aider... Deuxio, il a dit que personne pouvait prouver qu'il était le père, même pas sa fille, ils étaient pas mariés, vu... ? Ça signifiait qu'il pouvait encore très bien foutre le camp et c'était ce qu'il comptait faire justement si ça s'arrangeait pas très vite cette histoire, pas question d'attendre un jour de plus, il avait pas les moyens de porter le chapeau à lui tout seul, à bon entendeur, salut !

Le grand-père, fou de rage, c'était pas quelqu'un à pouvoir se permettre de manquer à la messe le dimanche, genre... Hors de lui mais catholique très pratiquant, propriétaire foncier, il était comme un peu forcé d'apparaître le dimanche en public entouré de sa famille, surtout à la messe, surtout après la guerre, surtout en Normandie...

Alors, que sa fille lui retombe sur le dos avec un enfant qu'on aurait pas le droit de baptiser, il s'est vite rendu compte, charge à vie, honte sur toute la famille ! C'est qu'il en avait d'autres à caser dans le pays...

Il a décidé de conclure un marché, il a accepté de donner ce qu'il voulait, c'est-à-dire de l'argent, le montant de la dot, mais pour qu'ils s'en aillent alors et qu'on les revoit plus ! En payant, il tirait un trait sur sa fille !

Et même pas mal d'argent au bout du compte, mon père a été surpris du volume étalé sur la table, des gros billets dans le contexte d'après la guerre, assez pour disparaître, prendre un nouveau départ... Il a donné sa parole de se marier en échange de l'argent, sur l'honneur, il a juré qu'ils remettraient plus jamais les pieds en Normandie avec une somme pareille !

Ils avaient rien signé, il était question d'argent par en dessous, y'avait pas de trace autrement, il aurait pu empocher le magot et s'enfuir comme il avait dit, ça aurait mieux valu pour elle... Mais non, il avait donné sa parole d'honneur, il avait qu'une parole à propos d'argent !

Ils sont partis à l'aube sur la pointe des pieds, comme des voleurs, coupables, vraiment fautifs, ça devait se voir quand même qu'ils s'aimaient :

— Et toi maman, qu'est-ce que tu disais ?

— Moi ? Mais je disais rien mon pauvre ami, j'avais déjà plus droit au chapitre, j'écoutais les conseils de ton père !

— Pourquoi tu t'es mariée avec lui alors ?

— Ça, elle disait, ça mon grand...

C'est à Paris qu'elle est devenue ma mère, la fille du paysan... Ils se sont unis à la mairie du XIIᵉ arrondissement, entre deux témoins de pacotille, pour le meilleur et pour le pire... Ils se sont mariés discrètement dans une petite église, c'était fichu pour un mariage en blanc, on se mariait pas enceinte à l'église, ma mère aurait pas pu mentir au curé.

Ils ont habité dans un hôtel à la Porte Dorée, une chambre coin cuisine en bordure du bois de Vincennes... Un hôtel qui existe toujours et que mon père m'a montré un jour qu'on passait devant en voiture, près d'un cinéma... On a aussi reconnu le magasin où ils avaient commandé leurs photos de mariage, juste en face de l'hôtel, chez un certain M. Lemesle, même que c'était son fils qui avait repris, comme c'était inscrit sur la vitrine, *et fils*.

Ils se sont retrouvés à deux dans Paris...

Mon père a proposé qu'ils commencent par s'amuser un peu, histoire de rattraper le temps perdu...

Ma mère était pas contre après tout, un peu comme un voyage de noces en somme.

Il disait qu'il avait les cacahuètes grosses comme des melons, depuis qu'il était né, il savait rien foutre d'autre que de se priver et d'en baver pour les autres !

Elle, Paris, ça la changeait trop de la Normandie, elle sentait qu'elle aurait du mal à s'adapter à toute cette vie.

Ils sont allés sur les Champs-Elysées, se promener à pied, voir l'Arc de Triomphe, ils sont montés sur la tour Eiffel, presque tout en haut... Paris, c'était grand, ils savaient pas par où commencer !

Ils ont fait des folies... Elle a choisi deux robes aux Galeries Lafayette en prévision de la grossesse et puis son chapeau avec des vraies fleurs séchées dessus... Il s'est payé son premier costume, son premier vrai cher, comme sur mesure... Ils ont examiné de la laine pour qu'elle tricote pour le bébé, ils ont acheté une cantine en prévision de bouger.

Un soir, ils ont fait la bêtise de s'offrir un dîner aux chandelles et au champagne dans un attrape-nigauds au bord de la Seine... Mon père a failli se battre avec le serveur en partant, parce qu'il avait payé trop cher, parce qu'il avait trop commandé de champagne.

Le soir du 14 Juillet, ils sont sortis danser pour le bal...

Des fois, je m'allongeais carrément dans le fauteuil, les doigts croisés sous la nuque, j'étais sur une plage la nuit, les yeux rivés aux étoiles du plafond, en écoutant le bruit de ma mère...

Et quelquefois elle en a parlé de cette nuit du 14 Juillet, une date importante dans sa vie ! Cette nuit-là, peut-être uniquement cette nuit-là de toute son existence malheureuse, elle a cru qu'elle vivrait très heureuse toute sa vie à ses côtés, qu'il changerait jamais, qu'il serait toujours le même...

Elle se revoyait dans la rue, jeune femme à son bras, un sourire aux passants, son visage s'éclairait, elle était restée amoureuse du nombre de lumières qu'elle a vu partout cette nuit-là... Jamais vu autant de lumières à la fois et toutes allumées ! Elle en était jamais revenue...

Et le feu d'artifice ! Elle l'avait retenu par cœur le feu d'artifice ! Et moi aussi je l'ai vu à chaque fois, même tout seul des fois... Elle racontait le bruit, toutes les belles couleurs en même temps, le bouquet final ! Elle disait que ça lui rappelait le bruit des bombes et des bombardements...

Lui qui la protège dans ses bras, qui la serre !

Elle qui fait semblant d'avoir peur contre sa poitrine, qui réclame plus de tendresse, confiante en leur avenir...

Lui qui la serre de toutes ses forces, comme pour l'étouffer !

Elle racontait bien le feu d'artifice.

Et leur baiser devant l'église Notre-Dame, toute illuminée de nuit, leur serment de s'aimer d'amour devant Dieu... Et puis le bal alors après, quelle escapade ! Quelle dégringolade jusqu'au petit matin, ivres d'avoir trop tourné en chantant la musique !

Elle se souvenait de ces femmes très à la mode qui lorgnaient sur mon père tellement il était beau et séduisant quand il était jeune, quand il était bien habillé... Mais lui, il avait fait exprès de pas les remarquer, il avait dansé qu'avec elle, il s'était intéressé qu'à elle, il n'existait que pour elle.

Un jour, elle s'est arrêtée de raconter à cet endroit-là, elle est devenue pâle sur la figure, y'avait aucune raison à ce moment précis :

— Tu seras gentil avec ta femme toi, hein mon grand... ?

— Oui maman !

C'était pas gentil comme elle le disait :

— Toute ta vie, hein mon grand ?

— Oui maman !

— Faudra bien la choisir alors ! En choisir une et la bonne, que tu sois sûr avant de t'engager, d'elle et de toi... Pour que vous soyez sûrs de pouvoir vous aimer toute votre vie, hein mon grand ?

— Oui maman !

Elle m'a examiné sous la lune :

— Promets-moi que tu t'entendras toujours bien avec elle et que tu voudras jamais crier après elle et que tu voudras jamais lui faire de misères !

J'ai promis.

— Promets-moi que tu deviendras jamais comme lui mon grand, parce que toi tu auras vu le mauvais exemple et que tu auras compris, et que tu aurais plus d'excuse pour faire pareil !

J'ai promis, j'ai pas compté, je sais plus combien de fois j'ai promis que je ressemblerais pas à mon père.

Ma mère, elle croyait qu'elle avait du génie dans les comptes, elle travaillait le soir, tard, dans sa cuisine, elle empilait les chiffres dans son cahier de brouillon, sur deux colonnes.

Première colonne, les dépenses effectives : en additionnant d'après elle, fallait aussi compter en moins, considérer le négatif qui s'ajoute au négatif, simple calcul de raison... L'argent dépensé, c'était pas uniquement quelque chose qu'on s'achetait en plus, c'était de l'argent en moins pour s'acheter le reste, tout ce qui manque encore, élémentaire... Elle était pas avare non, elle connaissait la valeur de l'argent, le mal qu'il faut se donner pour en gagner ! Elle connaissait les bons principes pour tenir un ménage, le premier devoir d'une femme c'est d'être économe dans une famille, son rôle de veiller aux dépenses, à elle de faire attention.

Dans la deuxième colonne, elle vivait par soustraction sur l'avenir, elle chiffrait toutes les possibilités d'achats successifs, elle retranchait les imprévus, elle était douée pour les probabilités, elle avait une bosse dans le crâne pour multiplier par 365... Elle se faisait des frayeurs à long terme dans sa cuisine, restait pas grand-chose de bon à la fin des opérations, elle se retrouvait toujours à zéro comme résultat.

C'est elle qui a tiré le signal d'alarme la première... Elle avait établi une sorte de budget prévisionnel sur six mois, jusqu'à la naissance de l'enfant... Au-delà, on y verrait plus clair, y'avait encore tous les achats du bébé qu'elle avait pas pu comptabiliser au centime près... En divisant le vrai reste par trois, deux et demi disons, en bleu pour un garçon, toute en rose si c'était une belle petite fille...

Lui, il voulait un garçon, pour le nom.

Elle, ça lui était égal pour l'instant, pourvu qu'ils y arrivent... Et si c'était des jumeaux ? Alors là tous les calculs étaient faux, toutes les affaires en double, obligés d'acheter tout deux fois, le résultat complet tiens ! C'était pas divisible par quatre, ça l'entraînait trop loin après la virgule...

Bref, je pose tout et je retiens plus, ça pouvait pas s'éterniser ce voyage de noces à Paris, elle voulait bien partir à l'aventure mais en voyage organisé.

Il a donné son accord pour restreindre leur train de vie, qu'ils se privent un peu sur les dépenses occasionnelles, vu qu'ils en avaient bien profité jusque-là.

En acceptant de vivre au jour le jour comme ils l'avaient fait jusqu'à présent, sans la moindre addition en perspective, ils iraient pas bien loin !

On pouvait avoir aucun projet avec cette méthode, rien à espérer...

Elle s'était obnubilée, fallait qu'il trouve du travail, c'était leur objectif numéro un !

Ouais, il a dit qu'il allait s'en charger de son côté pour trouver du travail, il avait le temps ! Y'avait sûrement de l'embauche après la guerre, pour des gens comme lui... A l'usine !

Il s'était découvert de l'orgueil dans cette ville, Paris capitale de la France, ça lui était monté à la tête... Tout le monde avait l'air de s'en foutre partout dans les rues, y'avait tellement de monde dehors tout le temps qu'on avait l'impression que personne travaillait, il avait établi le rapprochement avec lui... Les gens revivaient à cette époquelà, c'était communicatif, on avait besoin de ça, on pouvait plus agir comme avant !

Elle trouvait pas ça normal qu'un homme travaille pas, un homme sans travail, c'était un parasite pour toute la société, il devait avoir honte ! C'était l'influence de son éducation à la campagne... A la campagne tout le monde travaille, y'a que les fainéants qui travaillent pas, y'a toujours quelque chose à faire quand on le veut bien, même pour le dernier des imbéciles ! Et comme lui, il était ni un fainéant ni un imbécile, il devait forcément trouver quelque chose...

Elle pouvait toujours prouver ce qu'elle voulait avec sa logique à la con, seulement y'en avait pas de travail, il en trouvait pas de travail pour l'instant, il allait pas s'en inventer pour lui faire plaisir !

Elle lui demandait de pas se fâcher, de pas se mettre en colère à la première occasion, elle avait déjà peur de l'entendre crier...

Pas de travail ! C'était déjà pris partout avant qu'il arrive ! Toute la journée fallait faire des queues à n'en plus finir et le soir on rentrait crevé pour rien ! Pas de travail !

Elle le suppliait de pas crier dans l'hôtel, elle lui donnait raison, c'était de la faute à Paris alors, certainement, pas une bonne ville, pas faite pour eux, trop grande, trop de gens entassés les uns sur les autres, c'était bouché.

Il en avait marre de bouffer de la vache enragée, il lui montrait ses dents : Regarde ! Il écartait ses joues avec les doigts, il voulait qu'elles repoussent maintenant ses dents...

Elle était malheureuse qu'ils puissent pas discuter tranquillement, poliment, sans s'énerver. : Elle pensait d'abord à leur enfant, elle voulait pas qu'il naisse dans un hôtel, elle voulait qu'il ait quelque chose de construit autour de lui, qu'il se sente bien protégé et qu'elle puisse bien l'aimer comme il faut, tout lui donner... Un bébé, ça doit pas habiter dans la même chambre que ses parents, c'est mauvais pour lui et aussi pour ses parents.

Tout ce qu'on lui proposait comme boulot, c'était de la trime et il voulait pas replonger là-dedans ! Les vacheries, les vaches maigres et les mains dans la bouse, c'est fini tout ça tu m'entends !

Ce qu'elle rêvait pour lui, c'était d'un métier dans une banque, comme caissier par exemple... Ah ça ! Les gens étaient bien obligés de vous faire confiance, indispensable d'être honnête, quel prestige ! On en avait des responsabilités avec l'argent des autres, on en voyait passer des millions tous les jours, même si c'était pas les siens, ça valait quand même un petit pincement au cœur !

Il aurait refusé de s'enfermer dans un bureau, entre quatre murs, il avait besoin de bouger, de se dépenser physiquement, de l'espace au contraire !

Elle lui conseillait de se tourner vers l'administration, dans les Cheminots ou dans les P.T.T., des métiers qui s'exercent à l'air libre...

Le côté fonctionnaire, mobilité de l'emploi, retraite à cinquante-cinq ans, il était pas contre pour envisager la question.

Elle était soulagée qu'il devienne raisonnable, qu'il fasse preuve de réalisme.

Oui, il disait que c'était pas une mauvaise idée ça, il irait se renseigner demain dans les administrations, y'avait pas à se casser la nénette, il finirait bien par trouver va...

Elle redevenait fière de lui, elle le voyait revêtu de son beau costume, gravissant les marches du ministère des P.T.T., allant se présenter à l'accueil, pour une place... Elle se l'imaginait fin et cultivé, discutant posément avec le préposé, intelligent, souriant et distingué, toutes les qualités chez un homme !

Le matin, il s'en allait... Seul ! Il aurait pas admis

qu'elle l'accompagne, qu'elle le surveille partout comme un petit chien !

Elle le laissait partir avec ses dernières recommandations, des adresses avec les stations de métro, avec un peu d'argent en trop, elle lui conseillait de pas se priver de manger le midi, d'aller au petit restaurant... Elle lui envoyait un baiser du doigt par la fenêtre, à travers les rideaux...

Il disparaissait dans la bouche du métro, cet ogre !

Elle faisait un peu de rangement, sa toilette, elle s'habillait, elle se poudrait, elle mettait du rouge à lèvres avant de sortir... Elle allait se promener au bois de Vincennes, respirer le bon air pur du matin, se remplir les poumons d'oxygène dans le sang... Quand elle était bien fatiguée, elle s'asseyait au bord du lac, elle choisissait un emplacement au soleil pour garder son parasol à fleurs sur la tête.

Elle s'organisait, son *Echo de la mode* sur les genoux, à la page des petits modèles, elle tricotait la brassière, la culotte et les petits chaussons.

Le midi, elle se nourrissait, beaucoup de laitage, beaucoup de lait et de fromage, et des fruits, peu de viande, pas de poisson, hors de prix !

L'après-midi était en partie consacré à ses achats... Elle utilisait les transports en commun pour se rapprocher du centre, elle préférait l'autobus à cause des mauvaises odeurs qui circulent dans le métro... Elle courait la layette dans les grands, dans les petits magasins, elle montait son trousseau... Elle aimait bien fouiner, elle achetait peu à la fois, mais solide et utile et bon marché...

Elle comptait se munir d'une machine à coudre plus tard mais elle voulait attendre avant de l'acheter, savoir s'ils allaient déménager, ne pas avoir à la transporter inutilement... Elle achèterait du drap blanc pour les couches du bébé et du tissu pour fabriquer elle-même ses habits, comme à la poupée, jouer à la vraie maman.

Elle avait fait la connaissance d'une amie, une vieille dame qui tenait une mercerie à deux pas de l'hôtel, en remontant vers la place Daumesnil, à l'angle d'une petite rue et de l'avenue Daumesnil, un endroit minuscule, à peine visible du dehors, où y'avait pourtant tout ce qu'il fallait pour se ravitailler, tout un choix d'aiguilles et de fil, des trésors cachés en dentelle...

Elle finissait ses après-midi chez cette dame qui vivait seule, qui n'avait pas d'enfant, veuve de guerre mais de celle de 14, qui manquait tellement de compagnie.

Elles s'y entendaient pour discuter entre deux clientes, elles se donnaient de bons conseils à propos de tout et de rien, à propos de couture ou de bébé, même à propos de mari... Elles faisaient salon dans l'arrière-boutique de la mercerie, échange de bonnes manières autour d'un bouquet de fleurs qu'elle avait apporté, devant une tasse de thé qu'elle offrait avec les petits gâteaux pour faire trempette avec des pincettes, entre dames de bonne compagnie.

Vers six heures, six heures et quart, six heures et demi, elle prenait rapidement congé de la dame avec un dernier biscuit à emporter, avec mille remerciements pour l'hospitalité, promettant de revenir sans faute, à demain !

Elle se dépêchait de rentrer à l'hôtel pour dresser le couvert, éplucher les légumes, qu'il apprécie que ça soit prêt en arrivant... Arranger son intérieur, tirer un peu les rideaux, qu'ils se donnent l'illusion d'être chez eux, disposer un simple bouquet de fleurs sur la table, créer un semblant de vie, atmosphère de foyer, nid d'amour sous les toits de Paris.

Elle tricotait en attendant que le temps passe, en guettant les pas dans l'escalier, les habitudes de l'hôtel comme dans un rêve, en jetant un coup d'œil par la fenêtre, enfin connaître les résultats de la journée...

Vers sept heures, sept heures et demi, huit heures, il rentrait, quelquefois ayant bu, soi-disant fatigué, revenant de loin, du bout du monde, pire que s'il avait travaillé !

En deux temps trois mouvements, il lui balançait le compte-rendu de ses déboires dans les administrations françaises, le bilan désastreux, comme une gifle ! En élevant la voix, d'une humeur massacrante pour la prendre de court, qu'elle se plie à sa vérité, qu'elle avale tout de suite ses rancœurs, qu'elle ouvre surtout pas la bouche pour dire une connerie ! Il faisait l'énervé qui se domine à courir de bureau en bureau, ces montagnes de formulaires pour une simple candidature de travail, toute cette paperasserie à remplir pour prouver qu'on était français marocain et qu'on avait fait la guerre, et tout ça pour réclamer une bouchée de pain à la sortie ! Il lui jouait la comédie du désespoir, tenu en échec, brisé dans son élan, ennemi du monde entier, susceptible d'exploser au moindre mot de travers, il avait faim...

Elle faisait ce qu'elle pouvait pour l'aimer, pour pas que ça tourne mal, elle servait la soupe dans un bol, à table.

Il se taisait en mangeant, les coudes sur la table, il savait pas parler la bouche pleine.

Elle aussi elle se taisait, en lui donnant l'exemple de se tenir correctement à table, sa serviette sur les genoux, en tenant sa cuillère comme une personne civilisée, en prenant le temps de se restaurer, de goûter et d'apprécier au lieu d'engloutir la nourriture comme un sauvage qui descend de sa tribu...

Il attendait qu'elle puise la force en elle, il attendait qu'elle réinvente du courage pour deux, il attendait le temps qu'il faut.

Elle remontait la pente pendant le repas, avec franchise, guidée par le souci de l'aider, de l'épauler dans la difficulté, elle lui disait la vérité... Qu'il se décourageait bien facilement, qu'il avait pas beaucoup de courage décidément, il avait tort de baisser les bras, il en verrait d'autres, il était pas au bout de ses peines s'il se contentait de démissionner à la première occasion...

Ça le dérangeait pas de se faire remonter les bretelles de temps en temps, il aimait bien que sa femme ait du caractère, il avait besoin de reproches, elle avait raison de prendre les rênes !

Elle fonçait tête baissée dans la moindre faille, elle tentait crânement sa chance, elle lui parlait de croire en Dieu, de l'utilité de se confier à Dieu et de s'ouvrir quand on traverse une mauvaise passe, au lieu de rester enfermé dans ses mauvaises idées... Croire en Dieu, penser qu'il nous a créés et qu'il veille sur nous, qu'il nous aime et qu'il nous conduit et qu'il sait où il nous conduit...

Il restait là, le front pensif et les yeux fixes et vagues, impénétrable aux voies du Seigneur.

Elle proposait des solutions aventureuses pour se faire entendre, les bonnes surprises qui arrivent quand on s'y attend le moins, les lendemains qui chantent, les jours heureux... Elle avait de l'audace pour lui plaire, confiante en son étoile, épaulée par son ange gardien, elle lui garantissait l'avenir avec un peu de persévérance...

Il se laissait convaincre de mauvaise grâce, devant tant de bonne volonté, d'un naturel méfiant.

Elle oubliait ses déceptions pour un sourire, à le voir manger de si bon appétit.

Il cherchait pas de travail... Ses journées, il les passait dans les cafés à taper le carton, à gaspiller son argent, à rigoler avec des imbéciles, à dire des bêtises et des grossièretés en essayant de boire le moins possible à cause de sa femme en rentrant !

Un soir, il est rentré plus tard que d'habitude, après la tombée de la nuit en été, l'heure limite sans nouvelle... Elle avait allumé une bougie dans la pièce, façon de l'encourager à revenir, une attirance avec le feu... Elle a entendu du remue-ménage dans l'escalier, elle a reconnu la démarche bruyante et mal élevée, sa manie d'observer un temps d'arrêt avant de rentrer, de sonder l'intérieur, chasseur de mines... Elle a éteint la bougie, cachottière, elle a poussé un soupir quand la porte s'est ouverte... !

Il lui est apparu sur le seuil, méconnaissable, entièrement débraillé, la chemise déboutonnée jusqu'au nombril, la veste en chiffon sous le bras, la cravate disparue... Il était saoul, incapable de se tenir correctement sur ses jambes, conservant son équilibre en s'appuyant au chambranle... Démontrant d'où il venait, dans quel genre d'endroit il avait dû gaspiller son temps et son argent, essayant même pas de s'en disculper, l'air de vouloir affronter le tribunal en face, en flagrant délit de mauvaise conduite, malgré tout le vin ingurgité, les yeux rouges pétillants d'alcool, le doigt sur la détente, attention à pas lui chatouiller le bouton de la colère :

— Assieds-toi ! il a dit d'une voix rauque, la langue chargée...

Il s'est hissé d'une main à l'intérieur du navire, il a claqué la porte derrière lui par amusement, par bravade, pour la voir sursauter, le plaisir de jouer avec la peur des autres, pour troubler le sommeil et la tranquillité de l'hôtel, le désir de se venger sur les autres :

— Assieds-toi ! en monarque absolu...

Elle a eu le pressentiment d'une grande nouvelle, elle s'est assise sur une chaise, les mains jointes au-dessus de la table, priant devant les assiettes vides.

Il a parlé :

— Aujourd'hui, c'est une date !

Il a pris le temps de savourer la tête haute, le corps raide, sans appui, l'air d'un ténor, il a roté, pour faire durer le plaisir...

Aujourd'hui c'était un grand jour, il avait réussi à trouver du travail, il avait eu une idée de génie, il avait fêté ça en chemin !

Elle l'a pas cru... Quel travail ? Quelle idée de génie encore ? Ça vient pas tout seul le travail ?

— Salue-moi ! il a ri... Ce soir on fête nos fiançailles !

Elle avait ni envie de le saluer, ni de fêter ses fiançailles, ni de danser toute la nuit comme deux ivrognes !

Aujourd'hui, il avait été à la poste, poster une lettre à son frère... Paul ! Et devine ce qu'il a écrit dans l'enveloppe, qu'est-ce qu'il a dit à son frère... Paul ?

Non, elle savait pas jouer aux devinettes.

— J'arrive ! ON arrive ! Prépare-toi à nous recevoir !

Elle a ouvert de grands yeux...

— On part au Maroc, dans deux jours, par avion, ni une ni deux !

Elle a ouvert de grands yeux : le Maroc ! C'était ça son idée de génie... ? Pourquoi pas le Sahara ?

Il a jeté sa veste sur le lit, il a mal visé, elle est tombée sur la descente de lit...

Elle a pas bronché.

Il a posé son postérieur sur une chaise, il a repoussé son assiette de l'avant-bras et il a présenté sa main droite sur la table, bien calé, il a commencé à vouloir arracher le pansement sans explication...

— Francis !

— Minute papillon ! Tu vas pouvoir admirer ! C'est rien à côté de la gueule de l'autre, je lui ai défoncé la mâchoire !

Elle a fermé les yeux devant tant de grossièretés et de souffrances et d'horreurs, elle s'est demandée où était son chapelet, elle a revu les images pieuses de son missel, la Dame de Lourdes apparaissant à sainte Bernadette, la belle robe blanche immaculée, le doux visage, Vierge Marie, miséricorde !

— Y' avait le nez qui pissait comme une soupière, le sang qui faisait des bulles !

— Francis !

Ils ont croisé le regard, droit dans le colimateur, une seconde d'affrontement entre deux lions !

Elle l'a empêché d'ouvrir son bandage, on s'en occuperait demain matin au réveil, pour le moment il était trop fatigué, il devrait aller se coucher sans manger :

— Va t'allonger, tu tiens plus debout !

— Silence ma femme !

Il a dit qu'il avait soif...

— Tu ferais mieux de te passer la tête sous le robinet d'eau froide !

— Sers-moi à boire !

Elle a refusé d'être une boniche aux ordres de Monsieur :

— Bois de l'eau !

Il a décidé de se lever, sans réussite :

— Nom de Dieu !

Il a frappé la table avec sa main blessée, pour faire trembler la vaisselle, il a réussi à renverser le pot de fleurs sur la nappe...

— Tiens, la voilà ton eau, bois maintenant !

Elle s'est mise à crier du coup elle aussi, elle en pouvait plus de mener cette vie-là à des heures pareilles, elle était pas habituée à une telle sérénade après dix heures du soir !

— Nom de Dieu, tu vas te taire !

Il a encore cogné sur la table les doigts écartés, il s'est imposé l'épreuve de force avec sa main blessée, il a raclé la nappe avec les ongles, il a pris une poignée et il a tiré d'un seul coup en arrière... !

Les mains en l'air, contemplant le désastre en mille morceaux, elle s'est mise à pleurer, elle pensait pas qu'il pouvait aller si loin dans la sauvagerie :

— Vas-y, casse tout, fais des dégâts, brise la vaisselle, brise tout ce qui t'entoure, brise ta vie, brise la mienne, démolis tout l'hôtel si tu veux, il sera toujours temps de réparer quand y'aura plus rien qui tienne debout !

Il a dit qu'il allait lui faire sa fête...

— C'est ça, vas-y, tue-moi ! Tu seras bien débarrassé après, tu pourras vivre comme tu l'entends sans que personne te gêne, passer toute ta vie à boire en dépensant l'argent des autres, c'est tout ce qui t'intéresse voleur, menteur, tricheur, salopard !

Il s'est levé, retrouvant miraculeusement l'usage de ses jambes, il a réussi à se baisser, à se pencher jusqu'au sol pour ramasser les fleurs...

— Oh ! Tu peux me menacer, tu me fais pas peur tu sais, j'en ai assez de subir tes méchancetés, j'en ai assez de vivre avec un fou !

Il a reçu l'insulte en plein visage, celle-là était de trop, qui fait déborder le vase, il a changé de visage... il a marché sur elle, baïonnette à la main, l'expression la fleur au fusil... Il lui a enfoncé le bouquet de fleurs dans la bouche pour l'empêcher de crier, il lui en a barbouillé tout le visage et les mains, il lui en a fait bouffer jusqu'aux oreilles, jusqu'à ce qu'elle crie grâce, jusqu'à ce qu'elle dise merci !

Ce sont les voisins qui les ont séparés, l'ampleur de la réaction commune, les manifestations de coups de balai au plancher, un tohu-bohu général, la révolution des gens normaux...

Elle s'est regardée dans les mains, pleureuse, défigurée, couverte de fleurs, envahie par les fleurs, peinturlurée jusqu'au cou... Elle a eu peur qu'ils préviennent la police et que la police arrive et qu'on frappe à la porte, qu'on les découvre, qu'on les prenne pour deux fous, qu'on les chasse en pleine nuit comme des romanichels !

Mises en conserve ses larmes, remises à plus tard, dans une discussion à venir :

— Arrêtons-nous, Francis ! Arrêtons de nous battre comme des chiffonniers !

En serrant les dents, la voix blanche, en sourdine :

— Je t'en supplie !

Comme prise de fissures et de tremblements, comme si le barrage allait rompre :

— Je te le demande, Francis !

Comme si on pouvait tout pardonner, tout colmater, tout subir et se taire à jamais, sous la honte...

Avant de s'endormir dans le même lit sans se toucher, avant de ronfler et de produire autant de bruit qu'une machine à vapeur, il a raconté la fin du film... L'épisode de la castagne dans un restaurant le midi, la descente de police, les menottes dans le panier à salade, l'interrogatoire au commissariat, les affiches placardées dans le bureau :

« Chômeurs français : la Police vous propose un métier d'avenir ! Engagez-vous dans la Police ! »

Il s'était renseigné pour savoir si c'était possible de repartir au Maroc de nos jours avec femme et enfant, et quelles étaient les formalités pour s'inscrire mon adjudant-chef après quatre ans de captivité, qu'est-ce qu'on exigeait de lui comme diplôme pour repartir au service de la France... ?

Il avait rendez-vous demain à deux heures pour passer la dictée, départ dans deux jours, fais de beaux rêves !

Elle disait qu'elle y retournerait au Maroc, un jour...

Elle disait qu'elle avait fait la promesse solennelle d'y retourner :

— Un jour, seule et libre, dans un pays où j'ai été malheureuse !

— Raconte maman, comment ça s'est passé ?

Elle fermait la bouche, ça lui donnait le vertige que je pose une si grande question, si profonde pour mon âge :

— Pourquoi tu veux qu'on en parle mon grand, ça devrait te suffire ?

— Mais raconte seulement le Maroc...

Elle avait toujours un regard au ciel avant d'évoquer le Maroc, une pensée profonde, elle avait la mémoire des souffrances en même temps que des événements :

— Le Maroc est un pays froid où le soleil est chaud !

Elle sortait la phrase sans réfléchir, comme tiens-toi droit, mange du pain et mets tes mains sur la table ! Elle mettait un point final à la fin de la phrase, voilà. Si t'as compris ça, t'as tout compris sur le Maroc, genre pour elle après ça, y'avait plus que du bla-bla... Elle répétait volontiers une seconde fois la sentence :

— Le Maroc est un pays froid où le soleil est chaud !

Sur le ton de la citation historique cette fois, parole de Lyautey en personne, le maréchal Lyautey, l'homme qui l'a colonisé le Maroc, celui qui a tant fait pour la France au Maroc, celui qui a désiré que son cœur soit enterré là-bas après sa mort... Même qu'ils l'ont renvoyé en France son cœur quand ils ont obtenu leur indépendance, les Arabes !

— Mais non maman, raconte pour vous comment c'était ?

Elle reprenait où on en était resté, au moment de leur départ pour le Maroc, quand ils ont abandonné Paris et la France, elle aurait voulu que j'arrête de la regarder...

Elle a été malade dès le départ tu penses, c'était pas tellement recommandé de prendre l'avion dans son état, surtout qu'elle avait rien dit à personne... Et en plus, c'était la première fois qu'elle s'élevait dans les airs !

Au beau milieu de la nuit, pendant que les passagers essayaient de dormir, ils ont eu une panne de moteur, l'avion qui s'est penché subitement sur le côté... Des flammes qui sont sorties de la carlingue du moteur à travers les hublots, la panique dans l'avion ! Grande distribution des ceintures de sauvetage ! Les hôtesses qui font ce qu'elles peuvent pour organiser, les enfants qui braillent, les gens qui se mettent à pleurer, les courageux comme les peureux, mon père qui jure tout haut, qui s'apostrophe tout fort avec le bon Dieu, une hôtesse qui parvient à transporter un verre d'eau sans le renverser, ils ont cru qu'ils reprendraient plus jamais l'avion de leur vie !

Les flammes se sont éteintes du moteur... On a jamais su pourquoi, ni comment, ni par quel miracle ? Ils se sont posés à Rabat comme prévu, avec un seul moteur et sans un seul blessé, des vrais rescapés de l'espace ! Un pilote du tonnerre : Le commandant Marchant, ou Marchand... Toute sa vie elle s'était souvenue de son nom !

Les secours se sont organisés, y'a eu tout un branle-bas de camions et de sirènes au sol, il s'est passé quelque chose à l'infirmerie de l'aéroport...

En posant le pied sur la passerelle de l'avion, rien qu'en traversant la piste pour se rendre à l'infirmerie, elle a su qu'elle supporterait pas ce climat, trop chaud, trop étouffant ! L'air, la lumière, le soleil comme une boule de feu ! C'était le matin et on se croyait déjà en plein midi ! Aucun vent, aucune trace de fraîcheur nulle part, des cailloux et de la poussière, la sécheresse aride, le pays de la soif !

C'est simple, elle voulait plus ressortir de l'infirmerie, sa seule oasis dans cette espèce d'aéroport, on lui avait rien dit à propos des moustiques, personne s'en était vanté de ceux-là qui attaquaient dès le matin... Elle a interdit qu'on la touche ! Il était pas question qu'on l'emmène en ville dans un soi-disant hôpital, elle se sentait parfaitement bien ! Rabat, elle tenait même pas à y mettre les pieds, elle savait déjà comment c'était, dans quel traquenard !

C'est simple, y'avait obligatoirement un avion qui repartait pour la France dans la journée, alors elle allait le prendre, elle voulait surtout pas le rater... Elle a demandé si elle pouvait acheter son billet ?

Devant toute la clique de sauveteurs et de policiers et autres pygmées en uniforme, mon père a exprimé son point de vue en géographie par rapport à l'angle du soleil, quand on descendait en longitude perpendiculaire à l'équateur, y'avait for- cément un petit effort à consentir au début pour s'adapter aux températures...

Elle a dit non et non et non ! Sa décision était prise, elle l'avait suffisamment écouté !

Mais c'était pas la mer à boire, c'était la même chose pour tous les passagers qui débarquaient et qui étaient là et qui la regardaient, elle en mourrait pas va, allez...

Elle avait pas de conseils à recevoir de lui, elle avait jamais aimé la chaleur, toute petite, ça l'avait toujours rendue malade les grosses chaleurs !

Il tenait à ce qu'elle envisage les choses plus discrètement, avant tout, fallait qu'elle accepte de se laisser conduire dans cet hôpital pour être examinée par un docteur, c'était ça le plus important, pour l'enfant...

Elle a senti que ça se refermait brusquement.

Elle avait subi un choc, c'était pas le moment de flancher, suffisait qu'elle tienne le coup pendant une semaine et à ce moment-là on en rediscuterait, on déciderait en fonction...

Elle y survivrait pas, elle l'a juré, et son enfant non plus !

Alors là il s'est fâché, c'était de la mauvaise volonté, elle avait pas le droit de renoncer avant d'avoir essayé, c'était contraire à la logique !

Elle a eu peur ! Elle a entendu un grand bruit ! Un avion qui s'envolait, qui lui échappait, elle était prise ! Elle a tenté de s'accrocher à lui...

Il l'a repoussée !

Elle est devenue folle, elle l'a traité de menteur devant tout le monde, elle a proclamé qu'elle aurait jamais accepté de venir si elle avait su que c'était ça, personne avait le droit de la retenir contre sa volonté !

Il l'a attrapée par les épaules et il a secoué le prunier ! Il était pas venu jusqu'ici pour rien, il avait pas entrepris tout ce trajet en risquant de se tuer pour rien ! C'était miraculeux d'y être au Maroc, sains et saufs et en bonne santé ! Ailleurs, y'en avait pas de travail, pas de débouchés, pas de travail, fallait bien qu'elle se mette ça dans le crâne, il allait pas se crever le cul toute sa vie à cause de ses enfantillages !

C'était pas des enfantillages, c'était pas non plus un caprice, elle l'a promis...

Il a dit qu'il y était au Maroc et qu'il y resterait au Maroc et que elle aussi elle allait y rester au Maroc, nom de Dieu de nom de Dieu!

Toute sa vie durant elle s'était reprochée de ne pas avoir eu le courage de lui tenir tête ce jour-là, de lui résister !

Elle disait qu'il l'avait battue le jour même de leur arrivée au Maroc, en plein aéroport et devant toute la foule... Il l'avait serrée d'une main par le cou et il l'avait frappée à coups de poing dans le dos pour qu'elle avance, et personne avait levé le petit doigt pour l'en empêcher, personne avait songé à la défendre, alors que tout le monde avait deviné qu'elle était enceinte... Elle disait qu'elle avait réussi à le griffer en montant dans l'ambulance !

Elle avait débarqué de travers au Maroc, enchaînée à la croix du mariage, martyre condamnée, vouée à la détresse, à la solitude, elle disait qu'elle était rentrée en plein dans les décors la tête la première !

Elle devait rester pendant cinq jours en observation à l'hôpital et au bout de trois jours, il était réapparu pour la récupérer comme son bien, comme sa propriété...

Parce qu'il pouvait pas mettre son orgueil de côté, il admettait pas qu'on la garde plus longtemps, qu'on la soigne, elle était pas malade, quel déshonneur d'avoir sa femme à l'hôpital, improductive !

Parce qu'une femme au Maroc, sa place est à la maison, solide comme un roc, comme un rocher, capable d'encaisser toutes les peines.

Il avait essayé de faire croire qu'il avait changé en trois jours, il avait eu grandement le temps de réfléchir aux événements durant ces trois jours et il avait découvert ses torts, et les siens, et il avait pris des bonnes résolutions de son côté, il se mettrait plus en colère maintenant qu'il avait du travail...

— Ton père ! S'il avait pu s'en tenir à ses promesses ! S'il avait voulu se donner la peine d'être heureux en s'efforçant de faire le bien autour de lui, il connaissait la différence entre le bien et le mal... Seulement, il savait surtout où était le mal, de quel côté penchait la balance, dans quel sens il avait envie d'agir !

Elle disait qu'ils s'étaient jamais réconciliés de cette arrivée manquée, pendant vingt ans de vie commune leur union avait été à l'image de ce premier jour, une lutte épuisante de tous les instants entre le bien et le mal, entre la vérité et le mensonge, à vouloir triompher l'un sur l'autre.

Tout au début, ils avaient logé dans une chambre minable, où c'était trop petit pour habiter avec les bagages, où y'avait plus assez de place pour bouger ni pour respirer...

Parce qu'il se moquait pas mal d'elle comme du reste, parce que ça l'aurait un petit peu dérangé de chercher un endroit plus convenable, ça lui aurait pris trop de temps, ça lui aurait coûté trop d'efforts, il avait trop de travail !

Il avait fallu que ça soit elle qui entreprenne les démarches pour trouver une maison à Salé, en dehors de la ville, presque en bordure de la plage, une maison avec une salle à manger et plusieurs chambres, dans un quartier calme...

Il considérait que c'était pas important de se loger, habitué à vivre n'importe où n'importe comment, pour le temps qu'il passait chez lui ! C'était beaucoup plus intéressant d'aller retrouver ses anciens et ses nouveaux copains dans les tripots après le service, son quartier général après six heures du soir, jusqu'à ne pas rentrer en certaines occasions...

Il lui détaillait ses exploits au petit matin, des histoires abracadabrantes de voleurs capturés la main dans le sac, des nuits entières jonchées de coups de filet, ça faisait partie de son boulot de s'infiltrer la nuit chez les métèques pour glaner des informations sur les terroristes, des espions à la solde des services secrets de la résistance arabe, il avait peur de rien, tout était bon pour se justifier, il travaillait vingt-quatre heures sur vingt-quatre !

Alors, pour le remettre en place, à son vrai rang, au dernier rang de ce qu'il était, on arrivait naturellement au chapitre des fatmas... Et inévitablement à parler de Radia la belle, la fameuse, la première fatma du Maroc, une jeune, une assez jolie à ce qu'il paraît?

C'était courant au Maroc d'avoir une fatma, c'était passé dans les mœurs chez les Européens, comme chez les Marocains, chaque famille avait sa fatma... C'était pas comme d'avoir une bonne en France, moins huppé financièrement! Tellement y'avait de misère au Maroc au début des années cinquante, le pays des sans-abris, la demande était telle que l'offre était pas généreuse, on payait sa cotisation aux pauvres en offrant du travail.

La Radia! Elle avait jamais compris comment elle avait réussi à l'engager celle-là, avec ses yeux au ciel quand on avait le malheur de lui souligner ses erreurs, sa mauvaise habitude de répondre et de s'en aller en laissant tout en plan et de réapparaître le lendemain sans la moindre gêne... Impossible de lui faire admettre de se laver les mains avant de toucher aux aliments, aucun sens de l'hygiène, une vraie tornade dans une maison, on pouvait la suivre à la trace, elle posait tout nulle part, laissant continuellement du désordre partout, nécessité de passer derrière elle pour ranger, sans cesse obligé de se mettre en colère pour qu'elle fasse attention!

Oh! Elle était pas restée longtemps à leur service, quelques semaines, un mois à tout casser, mais en un mois elle avait eu le temps de faire la razzia...

Un jour, un matin, à six heures du matin, à l'heure à laquelle il se levait pour prendre son service, elle avait découvert Radia à moitié nue

72

dans la cuisine en train de se laisser faire par lui, en train de faire des choses pas belles ensemble... Il paraît que les Marocaines c'est inimaginable quand elles sont jeunes, elles passent leur vie à se dévêtir, comme une maladie !

Elle était d'autant plus rancunière après vingt ans de malheur, c'était en partie à cause de cette Radia si les choses n'avaient pas pu s'arranger après un tel acte, un tel aveu... Comme si c'était elle qui lui avait donné l'idée de recommencer, avec elle s'il y avait pris goût, elle la première, elle la responsable de toutes celles qui avaient suivi et qu'elle avait pas vues, pas prises, seulement devinées...

Elle redressait la tête, une zone d'ombre sur le visage : la Radia ! Elle avait surtout le défaut d'être Marocaine et d'avoir le feu au cul, comme toutes les Marocaines !

Oh ! C'était rare qu'elle dise un gros mot, elle perdait la boussole, elle avait plus pied avec un mot pareil, trop intime pour en parler vulgairement, pour en divulguer les secrets, enfin certains aspects...

Non, ce mot-là dans sa bouche, c'était une imitation faible de son langage à lui, de son franc-parler habituel et tant pis pour les enfants, tant pis pour les bonnes manières, plus la peine de mâcher ses mots !

Elle avait rien à se reprocher elle de ce côté-là ! Blanche comme neige, fidèle au même homme toute sa vie et quel homme vraiment, quel exploit !

Respectant ainsi la première condition du mariage, sauvegardant la morale chrétienne dans un pays musulman où c'était considéré comme normal d'avoir plusieurs femmes, religion faite par les hommes, pour les hommes ! C'était vraiment à la portée de n'importe qui de coucher avec n'importe qui, de se donner à tort et à travers comme des animaux, heureusement qu'elle avait pas suivi le même chemin !

Le mot cul, c'était plus un gros mot dans la bouche d'une sainte, c'était un hommage à la vertu, parole d'évangile, tout un sermon sur l'utilisation faite de la femme, en prédiction de la déchéance de l'homme par la dégradation des mœurs... C'était sa petite vengeance personnelle de sortir un gros mot pour dénoncer toutes les femmes d'avant et d'après Radia.

Comme quand elle traitait ma sœur de putain pour l'empêcher de sortir et d'aller traîner dans les cafés avec des garçons, comme son père avec des putains ! Le bon Dieu lui était témoin, tant qu'elle vivrait, sa fille deviendrait pas une putain comme les siennes !

Silence...

Elle se taisait, plus la peine, silence...

Elle prenait son mouchoir à témoin, un allié sous le traversin, un asile pour se cacher dans la maison des couvertures...

Silence maintenant, rien à déclarer mon grand.

Elle croyait que je l'écoutais pas respirer peut-être, elle croyait que je la devinais pas en train de pleurer en sous-marin, elle croyait que j'avais perdu sa trace dans la chambre... Avec toutes les questions qui s'échappaient de sa petite tête comme des bulles, cette montagne de cheveux blancs sur l'oreiller :

Mais alors, cet homme, s'il était tel que je le décris ce monstre, ce bourreau de mari... Comment ai-je pu l'aimer, le suivre, accepter de devenir complice ? Comment ai-je pu m'imaginer qu'il pouvait changer, que JE pouvais le faire changer par mon exemple, ma résignation, mon courage, sans penser une seconde que les gens comme lui ne changent pas ? Pourquoi faire un deuxième enfant alors, recommencer le même mensonge, la même étourderie, la divine plaisanterie à neuf ans d'intervalle ?

Je bougeais pas, le plus immobile dans le fauteuil, le regard neutre au possible, silence sur toute la ligne.

Elle s'essuyait une dernière fois la bouche, elle était fatiguée mon grand, elle voulait dormir, elle préférait que je l'abandonne toute seule avec sa conscience, en présence du bon Dieu, le seul témoin valable.

Des fois, je m'en allais, en fermant normalement la porte.

Des fois, je laissais pas le silence nous gagner, je disais que c'était à moi de raconter mes souvenirs du Maroc pour nous changer les idées, à moi de me creuser la cervelle pour la conversation... Je fouillais dans les vieux, dans mes premiers, dans la série des souvenirs drôles, je retrouvais le nom d'Arbéa par exemple la vieille fatma, la dernière du Maroc et j'avais deux souvenirs avec Arbéa, et le premier c'était la marmite :

On avait une marmite en fonte au Maroc, avec un couvercle en fonte et une petite anse juste au milieu... Quand la marmite chauffait, on avait besoin d'un torchon pour soulever le couvercle, parce que la petite anse était en fonte elle aussi... Arbéa, elle avait inventé une astuce pour qu'on se brûle plus les doigts, elle avait enfilé deux bouchons de liège sous l'anse et en attrapant le couvercle par les bouchons, sans toucher à l'anse, on se brûlait plus, sans torchon, système D ! Du pot que les bouchons tenaient juste bien coincés sous la petite anse... Et cette marmite, on l'a conservée depuis le Maroc, avec le couvercle, et y'a toujours les mêmes bouchons d'Arbéa prisonniers dessous, c'est pour ça que la marmite c'est un souvenir que je garde d'Arbéa, la vieille.

Mon deuxième souvenir, ça se passait avec Abdélatif, c'était mon meilleur copain quand j'étais petit au Maroc... J'avais presque six ans quand on a déguerpi de Rabat par avion militaire, rapatriés en France de toute urgence parce que mon père avait descendu un fuyard en état de légitime défense, un terroriste armé à trente mètres... d'une balle dans le crâne entre les deux yeux ! Comme il avait reçu des menaces de mort, les Arabes avaient juré de lui faire la peau !

Mais je m'en souvenais encore de mon copain Abdélatif et de nos cascades du dimanche matin, quand on se glissait par la porte de derrière de la salle des fêtes, dans la grande salle de bal du samedi soir, parmi les bouteilles vides, confettis et chaises renversées... On arrachait les guirlandes en papier de toutes les couleurs, on achevait le pillage en s'enfuyant comme des gangsters, les guirlandes à la traîne... Et quand on jouait à se lancer des cailloux et qu'il m'avait troué la tempe et que mon père avait été trouvé sa mère pour l'engueuler en costume de flic, déjà cette sensation qu'il allait trop loin, qu'il en profitait mal, et aussi cette histoire avec Arbéa...

C'était dans l'après-midi, l'heure de la sieste,

mon père travaillait, ma sœur allait à l'école, ma mère était pas à la maison, j'étais seul avec la vieille qui me gardait.

Elle avait préparé à manger pour le soir, ça cuisait, je m'en souviens, j'ai des odeurs qui stagnent quand j'y repense, des relents de *frita*, ratatouille pimentée à la viande, avec des courgettes et des aubergines... Avec des courgines et des aubergettes je disais, mais j'aimais pas les aubergettes, les morceaux violets qui donnaient mal au cœur.

A un moment, elle a eu besoin de sortir pas loin, dans l'escalier, chez un voisin, on habitait dans un immeuble., Alors moi, je suis monté sur un tabouret et j'ai fermé la porte derrière elle, avec le verrou !

Elle aurait dû prendre ça comme un jeu et me parler et j'aurais ouvert à la fin, j'étais petit encore, on pouvait m'amadouer en étant drôle... Mais non, elle était vieille, elle s'est mise à crier pour ameuter l'immeuble, à taper des grands coups dans la porte sans réfléchir... Je me souviens très bien d'avoir eu peur, d'avoir senti que c'était grave, alors j'ai plus voulu ouvrir, jamais à personne !

Quand elle a compris qu'elle défoncerait pas la porte à coups de pieds, elle s'est calmée, elle a chuchoté avec quelqu'un...

Je l'entendais respirer en colère, trop d'agitation pour ses vieux os, j'ai deviné des pas qui descendaient...

Elle m'a appelé, elle a demandé si j'étais derrière la porte ?

Pas de réponse.

Elle a dit qu'elle savait que j'étais derrière la porte, elle a crié en français mélangé à de l'arabe, elle m'a promis une de ces fessées carabinées si j'ouvrais pas la porte immédiatement, elle raconterait tout à mon père, à ma mère, à ma sœur !

Mon père, je m'en fichais, il me disputait jamais.

Je me souviens plus de ce qu'elle a dit après, elle a continué, j'ai pas répondu, c'est tout... J'ai tourné le dos à la porte, j'étais toujours perché sur le tabouret, je me suis retrouvé en face d'une glace où on se voyait le visage à la hauteur des grands... Je me suis montré la bouche en cœur, les joues qui se creusent en aspirant l'air, les lèvres qui se déforment en cul-de-poule, en trèfle à deux feuilles avec une tige de chaque côté, museau de lapin, je me suis trouvé beau !

Elle est devenue très très très gentille, elle m'a miaulé d'ouvrir la porte et comme ça j'aurais pas de fessée, elle dirait rien à personne...

— Va-t'en ! j'ai dit...

J'ai entendu un long juron en arabe, très long, très difficile à prononcer, très malpoli, j'ai cru qu'elle allait tomber raide en syncope !

J'ai fait semblant de pleurer pour me venger, gros chagrin plein les yeux, bouche en cœur qui rigole...

Elle est redevenue gentille aussi sec, elle m'a proposé des sucettes si j'ouvrais !

Non ! J'ai dit qu'elle en avait même pas des sucettes...

Bon ! Elle a promis d'aller en chercher des sucettes, elle en ramènerait plein !

Tu parles, je suis pas tombé dans le piège d'ouvrir pour vérifier :

— Si les cons volaient, ils iraient haut !

Je me suis pris pour mon père dans le miroir :

— Faut pas jouer le mariol avec moi, je sais me servir des esgourdes, j'ai le nez creux comme une canne à pêche !

Je me souviens d'après quand mon copain Abdélatif est monté :

— Philippe, ouvre, c'est moi...

— C'est qui ?

— C'est moi, Abdélatif, ton copain, ouvre...

— T'es tout seul ?

— J'ai quelque chose à te montrer, ouvre...

J'étais sûr qu'il était pas monté par hasard, il venait jamais me chercher chez nous, il osait pas rentrer ?

— J'ai des billes, tu vas voir...

— Elle est là Arbéa ?

Il les a remuées dans sa poche, il a dit qu'elles étaient neuves les siennes...

Ça m'a pas suffi comme preuve, est-ce qu'elles étaient neuves et de quelles couleurs ?

— Des agathes ! il a dit...

— Tu parles, j'ai menti par l'odeur alléché, moi aussi j'en ai des agathes !

Je lui ai tendu un piège, j'ai dit que je pouvais

plus ouvrir la porte parce que j'avais jeté la clé dans les cabinets... Y'avait pas de clé, c'était un verrou en l'air, il le savait pas tout seul !

Il m'a pas cru que je l'avais jetée dans les cabinets, il a pas parlé du verrou.

Je lui ai tendu un autre piège, j'ai recommencé à pleurer et il est tombé dedans... Il a fait semblant de croire que je pleurais pour de vrai, de pas comprendre ce qui m'arrivait, l'étonné de rien savoir... Alors j'ai déballé toute l'histoire exactement comme ça s'était passé ! J'ai dit qu'elle m'avait battu Arbéa, elle en avait profité parce que ma mère était pas là et je saignais encore du nez, j'avais très mal à un œil et je pouvais presque plus bouger la tête... Elle était devenue folle la vieille ! Elle avait voulu m'étrangler avec sa ceinture en me jetant par la fenêtre pour faire croire à un accident mais j'avais décroché la carabine de mon père et je m'étais barricadé dans la maison et j'avais jeté la clé dans les cabinets... Et j'avais tiré la chasse ! J'ai dit que mon père allait la tuer en rentrant, qu'il la tuerait à coups de pétard !

J'ai senti qu'il hésitait à faire semblant de me croire...

— Jure-le qu'elle est pas avec toi Arbéa !

Il a juré tout ce que j'ai voulu, je m'en souviens, traître...

Alors bon, un peu à cause des billes, parce que ça continuait à cuire dans la cuisine, comme je savais pas éteindre, j'ai eu peur que ça foute le feu à toute la baraque... Et puis j'avais rien à craindre moi, j'étais jamais battu moi, parce que j'étais son fils, parce que j'étais un garçon, j'avais tous les droits ! Parce que c'était les filles qu'on battait, les femmes comme ma mère ou ma sœur… Alors bon, j'ai ouvert !

Ma sœur, quand elle avait douze ans, elle disait :

— Un jour, moi je serai grande et puis je me vengerai !

Ma mère s'interposait :

— Enfin voyons Monique, à ton père...

— Si j'avais un couteau, je te tuerais !

— Monique ! Tu te rends compte de ce que tu dis ?

— Laisse !, il disait mon père, laisse ! Celle-là je m'en méfie comme de la peste...

Elle pensait ce qu'elle disait : il sera pas jeune et fort toujours, un jour il paiera, un jour c'est moi qui serai la plus forte !

Un midi, à table, mon père l'a coiffée avec un plat de purée :

— Je vais te coiffer, il a menacé, je vais te coiffer...

Il s'est levé, il a pris le plat de purée et il lui a renversé sur la tête, comme un chapeau brûlant !

Et au fil des années :

— Je vais te coiffer, il disait, t'es de ma main...

Il avait pas besoin de préciser, elle avait compris, elle s'écrasait... le premier plat qu'il va trouver, il va me le foutre sur la gueule !

Elle en avait marre de s'écraser, vraiment marre, il pouvait crever mon père, il était vraiment trop con !

L'année où elle a loupé son B.E.P.C., elle avait quinze ans, elle s'est retrouvée avec une tête au carré à l'hôpital... Elle était allongée sur un brancard avec un bandage autour de la tête, pendant que mon père expliquait au docteur qu'elle était tombée contre un meuble, en voulant courir dans la maison... Elle l'a regardé, elle l'a bien regardé, elle était consciente, elle a fait hmmmm sans insister...

Il a compris le toubib en examinant les blessures, il en avait vu d'autres, il l'a questionnée après en seul à seul mais elle a rien dit, elle a pensé à son boulot de flic, les gens, comment ils le regardaient, c'était tellement important pour lui... Foutre une raclée à sa fille, que les voisins le sachent, ça va, mais si le commissaire l'apprenait !

En voiture ! Elle avait dix kilos de plomb qui lui dégringolaient sur les épaules, des yeux qui lui poussaient derrière la tête pour prévenir le danger, pourvu qu'on lui fasse pas une queue de poisson !

Un con lui faisait une queue de poisson, mon père lui en faisait une autre, il le bloquait, il l'extirpait de sa bagnole et il lui cassait la gueule :

— Arrête papa !

Elle criait de la voiture, elle osait pas sortir :

— Arrête papa !

Elle regardait les files de bagnoles qui attendaient derrière, qu'est-ce qu'elle avait honte !

— Arrête papa !

C'est depuis qu'elle supporte pas de voir les gens se battre dans la rue.

Ma sœur, à moi, elle me racontait tout...

Quand elle était petite au Maroc, elle faisait des cauchemars toutes les nuits, elle allait dormir dans le lit de ses parents, du côté de sa maman.

Mon père, quand il était en colère, il prenait son pistolet et il tirait au plafond de la salle à manger, il tirait ce con, ça fait du bruit un pistolet !

Quand il faisait des scènes de jalousie à ma mère, alors que lui il la trompait à tous les coins de rues... Il avait la spécialité, c'est monstrueux, il regardait dans les slips de sa femme, les pertes blanches :

— Tu m'as trompé !

— Allons Francis, ne dis donc pas de bêtises...

— Si, je l'ai vu dans ton slip !

— Mais non voyons, c'est quelque chose de naturel...

Mais il lui tapait dessus comme un fou !

Et elle, fallait bien qu'elle protège ma mère, c'était horrible ce qu'il lui faisait :

— Mais non papa, elle t'a pas trompé !

Elle savait même pas ce que ça voulait dire...

— Arrête papa, elle t'a pas trompé !

Elle se revoyait en chemise de nuit haute comme trois pommes, elle lui arrivait au genou, à la cuisse, agrippée à son pantalon :

— Ne la tue pas, elle t'a pas trompé ! Ne la tue pas, elle t'a pas trompé !

Mon père, quand il l'empêchait de sucer son pouce avec une chaussette ficelée autour du poignet, il venait lui dire bonsoir en cachant la chaussette...

Elle était minuscule dans son lit à barreaux et lui tout grand, énorme, terrible :

— Non, papa, pas la chaussette ! Pas la chaussette !

C'était déjà un tortionnaire.

Et moi, en comparaison, je lui rappelais un très ancien souvenir à moi, toujours féroce, la fois où ma mère m'avait pris dans ses bras pour se protéger, parce qu'il avait décidé de la tuer avec sa carabine :

— Lâche ton fils !

Il avance...

Elle me serre, elle recule, elle a peur...

— Lâche ton fils !

Elle m'entraîne, elle m'entraîne, elle m'étrangle encore plus fort !

— Lâche ton fils ou je tire !

Je revois le profil du canon, les yeux pointés en face des trous, je vise au plus profond, j'essaye d'apercevoir la cartouche et les plombs mais j'ai pas peur qu'il tire... Et j'en veux à ma mère de pas deviner, y'a aucun danger tant qu'elle m'a dans ses bras !

Mon père, quand il lui disait qu'elle était la fille du facteur, une petite juive abandonnée qu'on avait retrouvé dans le Méla... Souvenirs de petite enfance en maternelle, elle courait se réfugier dans les jupons de sa mère :

— Je suis pas pareille, je suis pas votre enfant, pourquoi je suis pas pareille que toi maman ?

Elle aimait bien pleurer dans le giron de sa maman et se rendre malade et triste, le côté sensiblerie, attachant...

Et sa maman la consolait, l'embrassait et pleurait avec elle, car c'était des sottises bien entendu, il inventait toutes les bêtises pour faire du mal, il en avait jamais assez de voir souffrir autour de lui !

De pas être sa fille à lui, pendant des années, elle s'est dit ouf, tant mieux, qu'est-ce que j'ai de la chance ! Oui je suis pas sa fille, je suis trop différente de lui et je vais l'être encore plus, je vais la cultiver cette différence, c'est ça qui va me donner la force, c'est ça qui va me sauver !

Elle a étendu son champ de bataille quand je suis né, elle m'a appris à me rendre compte, elle m'a guidé pour que moi aussi je sois différent, que je devienne pas le portrait craché ! Pourtant, elle aurait pu m'en vouloir tellement j'étais le fils du père, elle aurait pu être jalouse tellement y'avait de privilèges en ma faveur, elle me disait :

— Y'en a qu'en ont de la chance, tu sais ! T'as de la chance qu'on t'aime toi, parce que sinon !

Et moi aussi je l'ai aidée, elle avait le droit de sortir avec moi le dimanche après-midi... On prenait le bus, on retrouvait son amoureux à une station et on allait se promener dans les bois, près des carrières de sable, j'étais pratique pour elle, je construisais des cabanes pendant qu'ils s'embrassaient allongés par terre...

Elle pouvait me confier tous ses secrets, je l'ai jamais trahie, j'ai connu tous les noms de ses amoureux et elle en a eu beaucoup des amoureux, elle les aimait pas longtemps les hommes !

Et quand elle piquait du fric dans le porte-monnaie de ma mère ! Jamais dans ses poches à lui, il était redoutable à ce jeu-là, même cinq centimes il s'en apercevait... C'est moi qui servais de commissionnaire avec l'argent quand elle était privée de sortir, c'est moi qui allais acheter le chorizo très piquant qu'on mangeait dans notre chambre en s'enfermant à clé, en se délectant avec du pain.

Je me souviens d'une fois à table où j'ai dit, sans le faire exprès :

— Papa, y'a quelque chose qu'il faut pas que je te dise !

— Ah bon ! l'autre, très intéressé...

Tout de suite j'ai senti les gros yeux de ma sœur à côté... Faut pas l' dire à papa ! Faut pas l' dire à papa !

Il a tout essayé pendant une semaine, il m'a pris à part, il m'a cajolé, il m'a acheté des jouets, il m'a couvert de bijoux, il m'a promis monts et merveilles... Mais j'ai rien dit !

Ma sœur et moi, on dormait dans la même chambre au bout du couloir, la porte tout droit, dans des lits jumeaux superposés, moi dans celui du dessus parce que j'étais le plus léger.

Nos parents, ils faisaient chambre à part.

J'avais remarqué que tous les dimanches ils s'engueulaient nos parents et souvent dès le matin, pour un oui, pour un non, des conneries... Je savais que c'était inévitable le dimanche, jour fertile en moisson, je sentais que ça pouvait pas ne pas arriver le dimanche quand on était réunis à quatre pour la journée... Mon père travaillait certains dimanches, un dimanche sur cinq seulement.

Notre père, il se levait comme d'habitude le dimanche, à six heures, même si c'était son jour de congé, il supportait pas de fainéanter au lit, il s'ennuyait... Il prenait son café dans la cuisine, il tournait en rond jusqu'à ce qu'on se lève vers sept heures et demi, on l'entendait :

— Debout !

C'était réglé comme du papier à musique, en une heure et demie il se tapait son litre de café en fumant son paquet de gauloises, il était déjà bien chauffé à blanc :

— Debout !

Il criait à la cantonade, semblant de s'adresser précisément à personne, assez fort pour réveiller tout le monde...

On se rendormait, parce que c'était dimanche, jusqu'au prochain :

— Debout !

Vers huit heures...

Vers les huit heures et demie, il ouvrait la porte du couloir :

— C'est l'heure !

On entendait ma mère rouspéter dans sa chambre !

Quelquefois, elle ouvrait sa porte, elle lui adressait brusquement la parole dans le couloir, premiers mots du matin, chagrin :

— T'as pas fini de brailler non, tu peux pas dormir ?

— Il est huit heures et demie, il disait, comme alibi...

— C'est dimanche, les enfants on le droit de se reposer !

Des fois, il poussait le vice jusqu'à mettre son disque d'Edith Piaf, l'électrophone à fond, ça devait s'entendre d'en bas de l'escalier...

Les voisins se plaignaient plus, pour si peu, tout l'immeuble avait peur de mon père.

« Allez, venez, milord,
Vous asseoir à ma table,

Il fait si froid dehors,
Ici c'est confortable... »

Et bien sûr ma mère se levait prématurément pour faire cesser ce vacarme !

Aux premières lueurs d'orage, premiers mouvements de révolte, ma sœur se levait pour fermer notre porte à clé... Elle se recouchait, on se disait rien, y'avait rien à se dire qu'à écouter la sérénade du dimanche matin.

J'envisageais des images au plafond dans les brumes matinales, je reconstituais leurs disputes en rêve dans les gestes, avec les expressions de visage, en fonction du lieu de la bataille, si c'était dans la cuisine ou dans la salle...

Si la confrontation se déroulait dans la salle à manger, je faisais l'effort de déterminer l'exacte position de mon père, de quel objet il était le plus proche, de quel objet à lancer par la fenêtre... Il avait la manie des gros objets, il avait la force de soulever la table comme s'il allait la jeter par la fenêtre ! On en était au troisième poste de radio depuis le retour du Maroc, sans compter le vieux poste à galène qu'il avait tellement trifouillé alors qu'il y connaissait rien, tout ça pour s'acheter un de ces nouveaux transistors qu'il s'était dépêché de balancer par la fenêtre du quatrième étage à la première occasion, tout ça pour s'en acheter un autre le lendemain...

On les entendait hausser le ton, s'insulter à propos d'argent pour les courses, se battre à coups de porte-monnaie !

Ça lui prenait subitement, il refusait de donner son argent, il nous coupait les vivres à partir de maintenant, il débourserait plus un centime à les entretenir à rien foutre ces deux-là... Elle et ma sœur, pas moi ! Moi, il me situait dans un budget à part... Il les traitait d'entonnoir toutes les deux, elles avaient le fond du panier percé ma parole, elles dévaliseraient une banque !

Elle trouvait ça honteux qu'il lui reproche d'acheter un poulet le dimanche, pour quatre !

— J'ai plus un rond, démerdez-vous sans moi !

— Si tu perdais un peu moins souvent aux cartes mon pauvre ami ?

— Les cartes, elles t'emmerdent !

Alors elle ouvrait les vannes, elle se déchargeait sur sa nouvelle voiture, les sommes faramineuses qu'il engloutissait dans ses plaisirs, parce que Monsieur ne pouvait pas rouler dans une voiture qui avait plus de dix mille kilomètres, c'était plus assez neuf, c'était plus assez bien pour lui, il lui fallait le dernier modèle, pour se croire au-dessus des autres !

— C'est mes oignons, c'est mon pognon !

— Ça me regarde aussi figure-toi, ça nous regarde tous !

Il remettait son disque d'Edith Piaf, la même face et toujours le volume bloqué, avec un 45 tours il était souvent à la tâche :

— Va te recoucher Jeanne, sinon je vais me mettre en colère !

On entendait ma mère revenir dans sa chambre, claquer la porte :

« Laissez-vous faire milord,
Et prenez bien vos aises,
Vos peines sur mon cœur,
Et vos pieds sur une chaise... »

Elle s'enfermait à clé, le gong, out, étendue dès le premier round, avant d'avoir commencé :

« Je vous connais Milord,
Vous n' m'avez jamais vue,
Je n' suis qu'une fille du port,
Une ombre de la rue... »

On écoutait religieusement la suite des événements, le passage lent de la chanson, la description du Milord en question, panoplie du dimanche :

« Vous n'étiez pas peu fier,
Dame, le ciel vous comblait,
Votre foulard de soie,
Flottant sur vos épaules,
Vous aviez le beau rôle,
On aurait dit le roi,
Vous marchiez en vainqueur,
Au bras d'une demoiselle,
Mon Dieu qu'elle était belle,
J'en ai froid dans le cœur... »

Au beau milieu de la chanson, il se rappelait qu'il avait des enfants, on l'entendait surgir dans le couloir, le cap sur notre chambre :

— Debout là-dedans !

Il était vexé de trouver la porte fermée à clé :

— Debout !

C'était le moment crucial...

Je répondais pas immédiatement, je laissais planer un ange, je lui offrais sur un plateau la possibilité de se calmer et de repartir dans la cuisine, sagement nous attendre.

— Ça roupille là-dedans ?

Sous-entendu ça sent la poudre là-dedans, ça cherche à me désobéir ?

— Oui oui, je disais en bâillant fort, du bruit avec les draps, justement en train de se lever, j'arrive...

Sous-entendu, ON arrive...

Et ça lui suffisait, on avait encore quelques longues minutes de répit avant d'affronter le petit déjeuner, on avait évité le pire.

Mais des fois, quand il en avait trop gros sur la patate, quand il arrivait plus à décoller sa main de la poignée de la porte, quand c'est lui qui cherchait la bagarre, il réclamait une réponse de ma sœur :

— T'es toujours vivante ?

Elle répondait jamais à ce genre d'insinuation, il le savait, elle le laissait aboyer, elle avait le don de l'exacerber...

C'est alors qu'il prononçait la phrase magique :

— Tu sors pas parce que tu as peur !

Comme quand on s'enfermait avec ma mère dans la salle de bains, quand on le laissait piquer sa crise dans l'appartement, casser les meubles, soulever les tables et les montagnes, un bordel monstre, des trucs abracadabrants... Quand il essayait d'enfoncer la porte de la salle de bains à coups d'épaule en prenant son élan dans le couloir !

Je me rappelle des murs qui tremblent, des médicaments qui chancellent dans l'armoire à pharmacie, je me rappelle des bras de ma mère qui m'enserrent pour m'empêcher de respirer, je vais mourir emprisonné contre son ventre... Faut pas regarder la porte mon grand, le diable qui rentre dans la boîte, faut pas avoir peur !

Et tombe la phrase magique, comme « sésame ouvre-toi » :

— Toi, la Monique tu sors pas parce que tu as peur !

A chaque fois qu'elle a entendu son appel, elle est venue à lui, elle nous a délivrés...

On lui disait :

— N'y va pas ! N'y va pas ! N'y va pas !

— Ah non, elle disait, pas ça !

Je la regarde du haut de mon lit dans les tribunes, elle ouvre la porte de notre chambre en chemise de nuit, elle est morte de trac, une trouille atroce avant de rentrer en scène...

Je l'admire ma grande sœur quand elle ouvre la porte de la salle de bains, elle se force, elle se cambre... Tu vois, tu as dit que j'avais peur, non tu vois, je suis là, tu me fais pas peur !

— Baisse les yeux !

Elle baissait jamais les yeux, il le savait, elle faisait un pas en avant au contraire, elle était arrimée à son regard...

Ma mère en profitait pour refermer la porte de la salle de bains !

— Baisse les yeux !

Elle attendait la première baffe comme un salut, une délivrance, comme une piqûre quand tu t'y attends, paf ! Ça te pique et puis après, bof, ça va continuer comme d'habitude... Elle s'écroulait par terre, évanouie de frayeur !

Au pied de la porte de la chambre de ma mère, comme au pied de la porte de la salle de bains, condamnées à double tour.

Ma mère, absente, irréelle, qui pouvait plus rien dire, qui savait plus comment faire, tant pis pour elle si ça l'amuse de prendre des claques inutilement.

Et moi, j'assistais, spectateur par les yeux ou par les oreilles, lucide, stupide, il continuait à la frapper par terre...

Elle se mettait en boule pour se protéger la tête, elle prenait la raclée mais jamais elle se plaignait, jamais un mot, jamais un son, et c'était long !

Et moi, je fixais mon père, j'attendais son regard suivant le code avant d'aller trop loin, quand il avait envie de se laisser calmer, il me le faisait sentir, presque des ondes... Alors je pouvais intervenir :

— Arrête papa !

Mais pas avant, mon pouvoir ne s'étendait pas jusque-là :

— Arrête papa !

Et l'honneur était sauf, il arrêtait de cogner sa fille sur un ordre de son fils.

Je sautais du lit, j'enjambais ma sœur, je

m'emparais de lui, je le tirais par les habits... Il me résistait, semblant de pas pouvoir se décoller de sa victime, bête féroce attirée par l'odeur du sang... Mais je sentais son abandon volontaire, le lâche, cette façon de reculer en avançant :

« Allez, venez, milord,
Vous avez l'air d'un môme,
Laissez-vous faire milord,
Venez dans mon royaume,
Je soigne les remords,
Je chante la romance,
Je chante les milords,
Qui n'ont pas eu de chance...
Mais vous pleurez milord,
Ça j' l'aurais jamais cru ! »

Passée la première baffe, elle disait qu'elle avait plus peur, c'était les premiers coups qui lui faisaient mal, après elle sentait plus rien.

Elle se mettait dans un certain état par la volonté de l'esprit, où son corps c'était plus qu'une chose qui lui appartenait plus, où dans sa tête elle se laissait complètement aller :

— Je crains rien, il peut rien contre moi, il peut plus m'atteindre !

Comme pour une opération au visage, ils ont pas le droit de t'endormir complètement, tu flottes à moitié et si tu plonges un peu, ils te mettent des claques sur les joues, mais c'est doux, tu sens rien, c'est agréable...

Et quand il arrêtait de lui cogner dessus, elle se réveillait en pensant :

— J'ai gagné ! C'est moi qui ai gagné, parce que maintenant il se retrouve comme un con !

Le dimanche, quand on prenait le petit déjeuner en famille dans la cuisine, tous les quatre sur le qui-vive, puisqu'il s'était rien produit jusque-là...

Ma sœur s'approchait de l'évier avec une casserole et paf! Elle se ramassait une taloche au passage, la première de la journée, sûrement pas la dernière!

Elle était tellement surprise à chaque fois, suffoquée du manque de raison qu'elle lâchait prise, la casserole dans l'évier ou par terre, le bruit de ferraille qui s'éternise...

Ça l'énervait Notre Père! Tout le monde prenait du café ou du chocolat le matin, elle était la seule à boire du thé, pas comme les autres évidemment!

Elle se fixait le dos rond, la tête coincée dans les épaules, à l'écoute de la prochaine...

Mais non, il était soulagé pour l'instant, elle avait pris une baffe, elle l'avait pas volée.

Elle ramassait sa casserole, elle répandait de l'eau chaude dans sa casserole, elle allumait le gaz sous sa casserole, un couvercle sur sa casserole...

Les mâchoires jointes, de la buée dans le regard, l'eau qui bout à cent degrés !

Et ma mère lançait ouvertement :

— Te plains pas ma petite fille va, c'est pour tous les coups que ton père a donné et que les autres méritaient pas !

Il ricanait en me regardant, ravi de la fine plaisanterie, en me poussant du coude comme si j'étais de son côté, sous-entendu fier de lui, fier de son travail !

Je souriais jaune, l'idiot, à moitié semblant de pas comprendre.

Petit déjeuner en silence, dans une ambiance de pain grillé, odeurs de cendres...

Certains dimanches, il faut le dire, c'était pas tout à fait le même son de cloches à la maison, y'avait une autre animation le matin dans la cuisine, on avait des gens à venir manger le midi !

On était prévenu longtemps à l'avance ma sœur et moi, on savait où on mettait les pieds... En général nos invités c'était des camarades de police de mon père, alors il lésinait pas, y'avait beaucoup à manger, la nourriture était meilleure aussi, il faisait lui-même le marché le samedi !

Alors on devait pas se bourrer de tartines au petit déjeuner, histoire d'avoir un creux le midi et de faire honneur à la nourriture ! On allait à la messe de dix heures et on achetait trois baguettes en remontant et on devait se dépêcher de rentrer pour mettre le couvert avant qu'ils arrivent...

On dépliait une grande nappe blanche sur la table avec les serviettes à fleurs, on sortait les belles assiettes du buffet, les couverts de la ménagère, les petites cuillères en argent, les couteaux à fromage, tout ce qu'on avait de plus beau... Le beurre était servi dans un beurrier avec le couteau à beurre !

On mettait deux verres par personne, un petit et un grand, mais c'était dans le petit qu'on buvait du vin... Fourchettes à gauche, sans oublier les porte-couteaux en cristal, c'était le moment de les sortir, on s'en servait jamais... Sauf des soirs en cachette avec ma sœur quand mon père rentrait tard et que ma mère était déjà couchée, on jouait à Monsieur le Comte et Madame la Duchesse avec les couverts de cuisine...

Moi, j'étais chargé de découper les saucissons, le saucisson sec et le saucisson à l'ail... J'adorais me concentrer sur des tranches fines et régulières avec le gros couteau de cuisine, je tirais la langue en m'appliquant... Je les présentais en demi l'une sur l'autre, la géométrie invariable, saucisson sec, saucisson à l'ail, en spirale autour du plat... Sans oublier d'enlever les peaux et les bouts de papier de chez le marchand, ça devait faire propre ! Je savais m'arrêter aussi, je découpais pas tout pour le midi, il devait en rester pour le soir avec les pâtés, le pâté de foie et le pâté de campagne... Des fois qu'ils auraient eu la bonne idée de rester pour le buffet campagnard nos invités, des fois qu'ils se seraient tellement plu ici à nous regarder trembler.

Ma véritable spécialité, c'était dans la décoration des plats, une olive noire toutes les six tranches de saucisson, un cornichon découpé en quatre dans le sens de la longueur... J'inventais une couleur au centre, une rondelle de tomate, un bout de poivron que je découvrais dans les olives en bocal... Les olives vertes étaient servies nettement à part, dans une coupelle, les olives vertes, c'était pour l'apéritif.

Ensuite je m'intéressais au plateau de crudités, je rajoutais des crottes de mayonnaise sur les demi-œufs durs et si je voulais me montrer encore plus raffiné, j'avais du persil haché en réserve, en pluie sur les carottes râpées... Et encore et toujours les cornichons qui conviennent à la fois pour les saucissons, pour les crudités et même en apéritif !

Ces dimanches-là, ma mère regardait la messe à la télé, elle suivait le sermon entre deux râpes, elle communiait en goûtant la sauce de la blanquette... La veille, ma sœur lui faisait une teinture pour éviter la dépense du coiffeur, parce que ma mère elle a eu les cheveux blancs très jeune... Elle lui roulait des grappes de bigoudis autour du crâne, avec un filet pour la nuit, mais elle finissait par enlever toutes les épingles pour s'endormir.

Ma sœur et moi, on devait s'habiller très correctement et surtout attention à rester propres au moins jusqu'à midi, une règle d'or pour l'ensemble de la journée, jusqu'au soir ! Si on descendait jouer dehors dans l'après-midi, on devait se les garder sur nous nos habits du dimanche, interdit de se changer et pas le droit de se salir quand même !

Ces dimanches-là, après la salade, le fromage, le dessert, le café et le pousse-café, on allumait la télé pour avoir l'arrivée du tiercé en direct, ou alors mon père décidait de nous passer ses films du Maroc, ses souvenirs de stage.

113

Il était tellement fier de dérouler l'écran et de sortir le projecteur du carton, de machiner l'installation de bobinage et de rembobinage et enfin de faire éteindre la télé, après avoir tiré les rideaux, et de projeter sa mémoire dans un petit rectangle blanc !

On essayait de l'empêcher des fois, on racontait que le projecteur était derrière l'armoire à provisions, au fin fond de la pièce à chaussures, sous des piles d'*Echos de la Mode*...

Il en riait tout haut que ses enfants osent lui interdire son bon vouloir, il allait le déterrer lui-même son cracheur de souvenirs à la manque !

Nous, on lui balançait des vannes en rigolant, on prenait des gants pour pas le froisser... Mais ma mère, elle le loupait pas, c'était toujours vache pour le vexer :

— Qu'est-ce que t'es pénible ! On les connaît par cœur tes films !

Il aimait pas quand ça venait d'elle...

— Je te préviens, tu rangeras !

Il supportait pas qu'elle le saigne...

Ils s'engueulaient souvent à cause de ça nos parents quand on avait fini de manger, quand on devait choisir une autre occupation à table... Ça faisait bien devant les gens qu'on rencontrait pour la première fois, ils s'en rendaient compte mais ça les empêchait pas de continuer, ça les gênait pas autrement ni l'un ni l'autre.

Nous, on aurait préféré qu'elle le laisse plutôt qu'ils s'engueulent, y'avait qu'à la maison qu'il pouvait les repasser ses films, il allait pas trimbaler

114

son attirail chez les autres, et puis chez les autres on y allait pas dans mes souvenirs, je m'en souviens pas, chez qui... ?

Je me souviens d'un jour à la rentrée, on nous avait demandé nos souvenirs de vacances, le coup classique en rédaction... Ça m'emmerdait tellement, je trouvais qu'il s'était rien produit d'intéressant, j'aurais pu écrire la même chose que l'année d'avant, que je me suis mis à raconter les souvenirs de stage de mon père :

J'ai introduit dans une colonie de vacances en plein désert, on vivait sous des tentes de douze et tous les jours on se tapait des balades de plusieurs kilomètres à pied, avec un sac à dos que les moniteurs remplissaient de pierres pour nous apprendre à crapahuter et le chapeau obligatoire à cause du soleil... J'ai raconté qu'une fois, on était partis en randonnée pour plusieurs jours et j'ai décrit le paysage de sable jusqu'à l'horizon, un caillou par endroit, c'était facile, un palmier mort de soif, le squelette d'une chèvre... Une nuit, au lieu de s'endormir avec les coyotes à la belle étoile, on s'était abrité dans un château fort au sommet d'une colline, avec des remparts mais sans pont-levis, avec un drapeau français flottant sur la tour... A l'intérieur, on avait rencontré des soldats à l'entraînement, mais c'était pas du tout des militaires comme on l'avait cru, mais des policiers français en exercice de formation... Et le lendemain, on s'était levé avant le jour pour courir avec eux dans le maquis, en petite culotte noire..

Quand mon père a été nommé brigadier-chef au commissariat, c'est son ancien brigadier-chef qui est venu manger avec sa femme un dimanche, M. et Mme Petit, pour fêter la promotion.

Ma mère s'était maquillée ce jour-là, elle avait employé du rouge à lèvres rouge pour avoir bonne mine... Quand elle est sortie de la salle de bains ! On aurait dit une poupée ancienne...

Mon père a pris la direction de la cuisine sans prononcer un mot, l'atmosphère était suffisamment tendue comme ça, il voulait pas d'engueulades ce jour-là... C'est lui qui avait mitonné les pommes de terre sautées, les hommes cuisinent tous très bien dans la famille, ça nous vient du père de mon père qui était déjà cuisinier.

La table était mise au grand complet, les belles assiettes, les beaux couverts, des porte-couteaux à chacun, le pain dans la corbeille à pain, les fromages sur des feuilles de vigne en plastique... Il y avait deux bouquets de fleurs, un sur le buffet et un sur la table à apéritif, dans des vases... On avait éteint la télé ! On avait sorti toutes les bouteilles à apéritif, même celle de gnôle avec une grosse poire dedans, si grosse qu'on se demandait comment elle avait pu rentrer dedans.

C'était à moi de dire la solution devant les invités, cette bonne blague... La poire pousse dedans à la naissance ! On colle la bouteille contre la branche pour qu'elle grossisse à l'intérieur et quand elle est mûre, on la cueille directement dans la bouteille ! J'avais sorti le seau à glace, mais pas les glaçons... Les glaçons, on doit les sortir du frigidaire qu'au dernier moment.

Comme à tout Seigneur, tout honneur, ils sont arrivés en retard, ce qui n'est pas poli, ils devaient pas avoir envie de venir...

Ma mère en profitait pour se reposer dans le fauteuil, avant d'être obligée de céder sa place.

Mon père arrêtait pas de surveiller le gaz, ça commençait à se dessécher dans les hauts fourneaux, une aussi longue attente à la casserole :

— Et si tu essayais ton rose à lèvres, ça irait pas mieux avec ta robe ?

Elle était si peu habituée à ce genre d'attention qu'elle avait pas enregistré la remarque dans le bon sens, elle se sentait mal en point tu veux dire, elle était en train de se demander si elle allait pouvoir tenir tout l'après-midi ?

Ma sœur lisait quelque part dans sa chambre.

De temps en temps, j'allais jeter un coup d'œil par la fenêtre, il faisait beau dehors, mais je les ai finalement loupés à leur arrivée...

C'est ma sœur qui s'en est aperçue la première,

118

elle a appelé mon père pour qu'il vienne voir une voiture qui s'était garée en bas, si c'était pas celle-là ?

Il était en éveil, il a regardé... Seulement la voiture était vide en bas ? On les avait complètement loupés, branle-bas de combat ! Ils étaient déjà dans l'escalier :

— Les voilà ! il a crié... Feu !

Ma mère lui a tendu sa veste pour qu'il l'enfile rapidement, il a failli la basculer par-dessus le fauteuil, il a crié pour qu'elle oublie, qu'elle se calme, qu'elle l'excuse immédiatement !

Il s'est planté devant ma sœur, ses chaussures, sa chevelure, il a fini par la frapper sans méchanceté allez, qu'elle se dépêche d'aller ouvrir nom de dieu !

Elle s'est précipitée, elle a ouvert la porte...
Personne !

Elle avait ouvert trop tôt, on s'y attendait pas, elle aurait dû attendre le coup de sonnette, elle a voulu refermer tout de suite...

Mais mon père lui a envoyé une grimace tellement douloureuse de loin, le mal était fait, plutôt l'attente porte ouverte que le ridicule porte refermée...

Nous nous sommes installés dans la position chez le photographe, chacun pour soi, souriez, souriez sans bouger ! Et que les petits oiseaux apparaissent sur le seuil de notre maison endimanchée...

On les a entendus qui parlaient, ils se doutaient

de rien en montant, soixante-quatre marches au sommet de l'escalier, y'avait de quoi être surpris sans ascenseur... Et puis, chut ! Ils s'étaient aperçus de la porte ouverte :

C'est le monsieur qui nous a paru essoufflé en premier, il était si joufflu qu'il m'a fait penser à la quantité de nourriture à table, il devait s'engoinfrer des tonnes de plats...

Il s'est arrêté sur le palier quand il nous a vus :

Mon père au garde-à-vous, les bras le long du corps.

Ma mère souriante, accueillante, saluant le représentant de la République française.

Ma sœur à la porte, qui l'accueille comme un vrai portier.

Moi, j'ai eu peur qu'il se sauve quatre à quatre, qu'il puisse être capable de nous faire ça !

Il a regardé par terre pour que sa femme entre la première...

Elle aussi elle a reçu un choc devant le tableau vivant, mais elle était blonde et moins grosse que lui, avec des boucles d'oreilles en or et un manteau de fourrure noire et brillante, et des chaussures noires, comme une élégante... Elle tenait un carton par la ficelle qu'elle a tendu à ma sœur en souriant :

— Bonjour mademoiselle...

Elle était gentille !

Ma sœur a accepté le cadeau des deux mains par-dessous, en pliant le genou :

— Merci madame !

Mon père s'est avancé vers elle pour les présentations officielles, il s'est incliné en lui prenant la main, en essayant d'avoir le plus de classe possible :

— Madame ! il a dit...

En gardant sa main dans la sienne !

Et puis il a ouvert l'autre bras et il a lancé :

— Ma femme !

Seulement ma femme, seulement ça, le coup de maître !

On savait pas qu'il pouvait faire semblant d'être à l'aise à ce point.

Une fois ma sœur elle a eu peur de mourir à cause de lui et de sa connerie et de la folie des anges ! Quand il se dominait plus, quand il cédait à tous ses caprices, ses bizarreries quand on s'y attendait le moins... Une seule fois il l'a piégée ! Mais alors ce qui s'appelle pour de vrai, il lui a foutu la plus grande trouille de sa vie, elle a vraiment cru que c'était la bonne...

Le jour de la machette, le jour où il a lancé la machette du Maroc à travers la salle, où elle a vu ce long couteau lui frôler les oreilles, sabre à découper les têtes !

D'abord elle est restée baba, sur place, elle a changé de couleur... Quel con, il joue mal là, faut quand même pas qu'il aille jusqu'au bout ! Tout de suite elle a pensé à lui, putain ! S'il m'avait touchée, qu'est-ce qu'il lui serait arrivé ? Elle a eu peur à retardement, elle est devenue verte, vraiment verte... Mais je veux pas être égorgée à coups de machette moi !

Elle a couru, elle a ouvert la porte, elle a suivi ses

jambes... Elle est descendue chez les voisins du deuxième, M. et Mme Bénézé :

— Faites-moi rentrer chez vous, je vous en prie, vous savez qu'il m'a lancé une machette ?

Ils lui ont expliqué, c'est que... On sait bien ma pauvre petite, on est bien placé pour entendre, c'est pas la première fois que ça arrive, on se rend bien compte, ils l'ont laissée sur le palier...

Elle était livide !

C'était pas qu'ils voulaient pas tu sais, bien entendu, c'était plutôt qu'ils pouvaient pas :

— On peut pas faire ça vis-à-vis de ton père, parce qu'il nous en voudrait tu comprends, faut que t'y retournes, il vaudrait mieux que t'y retournes de toi-même...

— Mais vous vous rendez compte où je vais retourner, vous vous rendez compte qu'il aurait pu me tuer ? Mais je peux pas, j'ai peur !

Ils lui ont pas exactement fermé la porte au nez, c'est pas ça, mais mets-toi un petit peu à leur place aussi, c'était pas facile pour eux non plus :

— Dis plutôt à ta mère de le calmer, il va peut-être se calmer tout seul ?

Elle a dit bon, j'ai compris, j'y vais, elle leur a dit au revoir... Les salauds ! Ils m'envoient à la mort... Elle est remontée, certaine qu'il allait pas la louper cette fois : « Là, je me dirige vers la mort ! »

— Mais pourquoi t'es remontée ?, je lui ai demandé un jour presque par hasard...

Elle m'a regardé, intriguée par cette drôle de question :

— Ils m'auraient pas laissée rentrer, ils disaient qu'ils pouvaient pas me garder, faut que t'y retournes... BON ! C'est des beaux salauds, ils m'envoient à la mort mais j'y vais, j'ai pas le choix !

— Mais pourquoi t'es pas restée dans l'escalier en te planquant dans un coin, pourquoi t'es pas descendue dans la cave ?

Elle a réfléchi, elle s'est demandée en effet, pourquoi ? Elle a dit oui, t'as raison, c'est pas normal :

— Il fallait que j'affronte, je sais pas...

— T'as pas eu l'idée de t'enfuir n'importe où en attendant que ça se calme ?

— Non, il va me chercher, c'est pas la peine, il va me trouver et puis ça suffit !

— T'as préféré te jeter dans la gueule du loup ?

Elle a pas répondu, elle a pas voulu amplifier la réponse par un oui, un OUI franc et massif :

Oui c'est vrai, je tremblais, j'avais les poils qui se dressaient, j'ai eu conscience d'être verte mais je suis remontée, justement parce que j'avais peur ! Parce que depuis que je suis toute petite j'ai peur et je m'en veux, depuis que je suis née c'est comme ça, j'ai peur et je me force à pas avoir peur, c'est plus fort que moi pour survivre, pour m'empêcher d'avoir honte, je dois vaincre contre tout ce qui est injuste, tout ce qui est cruel au monde, tout ce dont j'ai horreur !

Elle avait les larmes aux yeux quand elle a ouvert la porte et il était toujours en train de gueuler, mais déjà il était assis dans le fauteuil et la machette avait disparu...

Et pour la première fois de sa vie, elle a baissé les yeux, sans qu'il lui demande, elle a montré qu'elle avait peur, elle a pas eu honte ce jour-là... O.K., t'es le plus fort, je capitule, t'as gagné !

Ma mère a dit :

— Va vite dans ta chambre !

Il a pas réagi.

Elle s'est dit tiens, c'est pas la mort ?

De temps en temps, pas souvent, y'avait des voisins courageux... Quand c'était plus supportable à la fin, quand ça devenait inadmissible entre nous, un boucan du diable, une vie pas possible au quatrième étage quand on criait les fenêtres ouvertes, ou quand on criait plus, quand il faisait assez de bruit à lui tout seul... D'ailleurs en général les voisins montaient quand on criait plus, quand il avait fait le vide autour de lui, des voisins de l'immeuble d'en face des fois... Quelqu'un sonnait !

Mon père, il s'arrêtait de gueuler instantanément, y'avait aucun temps mort, sans attendre le deuxième coup de sonnette, sans reprendre sa respiration il avait le pouvoir d'ouvrir la porte avec un grand sourire :

— Oui ?

Le mec disait :

— Euh ! Excusez-moi monsieur, mais je voudrais bien savoir ce qu'il se passe tout de même ?

— Mais RIEN, il se passe rien, non non, soyez tranquille, il se passe absolument rien !

Le mec, il avait tout entendu, il voyait bien le chantier derrière lui !

Mon père, aimable, courtois, à l'aise, chez lui.

Ma mère auprès de sa fille, main dans la main, tendues le long du mur dans la cuisine.

Et moi, j'examinais l'intrus, le courageux, quelle tête il avait celui-là ?

Et le mec finissait par se tirer, parce qu'il avait pas forcément le droit de prendre racine dans le paillasson...

Mon père, il refermait la porte et le sourire s'effaçait, sur-le-champ, c'était extraordinaire, il se re-mettait en état, père la terreur ! Il attendait même pas que le mec soit redescendu chez lui, il recommençait à gueuler !

Ça prouvait que c'était complètement faux son truc, ça prouvait qu'on pouvait lui faire confiance, c'était un grand comédien, il se regardait agir, il était son spectateur... Après, suffisait que la machine soit lancée pour que ça redémarre par explosions successives, on pouvait toujours l'excuser... Mais au départ de l'action, il était pas hors jeu, il était pas fou, c'était quelqu'un qui raisonnait ! C'était quelqu'un, quand il s'emmerdait, qui se laissait aller à ce qu'il avait de plus moche en lui, quelqu'un qui avait besoin de mettre du piment dans la sauce... Aucune excuse !

Un jour elle l'a tué ma grande sœur, tel qu'il le méritait :

« Un jour, moi je serai grande et puis je me vengerai ! Un jour c'est moi qui serai la plus forte ! »

Elle a pas eu besoin de couteau ce jour-là, c'était pire qu'un couteau, elle l'a tué en gueulant plus fort que lui et c'est la vérité qui est sortie ! Ce jour-là, elle s'est rendu compte qu'elle était vraiment sa fille...

Ça s'est passé un samedi après-midi, en plein jour, devant témoins et ils étaient nombreux à l'avoir entendue, bouches cousues...

Mon père est rentré du service plus tôt que prévu, vers les quatre heures, brigadier-chef :

— Y'a personne ?

Ma mère était sortie faire des courses, ma sœur était assise dans la cuisine en train de boire du thé... Elle s'est dit merde, elle était prête à partir, elle avait rendez-vous avec un amoureux... Merde, il va me bloquer pendant deux plombes !

Il a commencé à rouspéter en se déshabillant dans l'entrée, selon ses bonnes habitudes :

— Qu'est-ce que c'est que ce foutoir, c'est toujours le bordel dans cette maison, y'a personne ?

Elle s'est pas occupée de lui, elle a continué à boire son thé.

Il est rentré dans la cuisine et il l'a vue, maquillée des paupières :

— Tête à maquereau ! il l'appelait, pour lui reprocher de se faire belle...

Elle s'est levée, le bol à la main, elle a regardé par la fenêtre pour lui tourner le dos, elle a bu une gorgée comme s'il existait pas.

— Qu'est-ce que t'as, t'es constipée ?

— Ecoute hein moi je suis tranquille...

— Oh ! Mais dis donc, moi je t'emmerde !

Elle s'est retournée, ravie de l'aubaine, de face :

— Mais moi aussi...

Sans agressivité, sans plus, la réplique, facile.

Il a foncé sur elle et il lui a flanqué une baffe, normal.

En d'autres temps elle aurait trouvé ça normal, elle y aurait même pas prêté attention, clair, net et précis... Mais là il l'a bousculée et elle a renversé son thé sur elle et elle était toute habillée, prête à partir !

Elle a posé son bol, elle a regardé ses vêtements, elle avait du thé partout, ça l'a foutue dans une rage :

— Mais ça suffit, ça suffit, ça suffit, ça suffiiiiiiiit ! jusqu'à la fin du souffle... Y'en a marre, tu vas arrêter, mais tu vas arrêter, mais tu nous emmerdes !

Elle a avancé sur lui et il a reculé, comme s'il avait touché au mauvais bouton :

— Mais ça fait dix-huit ans que tu nous emmerdes, dix-huit ans que tu nous tapes dessus et que tu nous démolis et que tu nous traites comme tes esclaves, y'en a assez !

Elle a continué à avancer droit devant, la révolte, Spartacus !

C'était la baffe de trop, peut-être la seule qu'elle ait mérité en lui disant aussi clairement, pour la première fois de sa vie : Ecoute, je t'emmerde !

— Non mais est-ce que tu te rends compte de tout ce que tu as fait, de tout le mal que tu nous as fait, tout ce qu'on a pu supporter à cause de toi, comment tu nous as emmerdés, comment tu nous as fait chier pendant dix-huit ans, la somme, est-ce que tu réalises ?

Il a pas pu l'ouvrir, il a pas pu en placer une, elle lui en a pas laissé le temps, ils sont sortis de la cuisine, ils sont arrivés dans la salle :

— Toutes les fois où tu m'as écrasée, où tu m'as fait subir ta loi et ta méchanceté, toutes les fois où j'ai eu honte, où j'ai eu mal, quand ça m'a fait mal, tu te souviens dis ?

Et elle avait absolument pas peur et plus elle avançait, plus il reculait, somnambule sous le charme :

— Moi je me souviens, moi j'ai rien oublié et je veux rien oublier et j'oublierai jamais ! Et puis y'en

131

a marre qu'on ait tous peur de toi et puis de toute façon c'est pas normal, parce que t'es plus qu'un vieux con maintenant !

Elle s'est soudée devant le fauteuil, les poings sur les hanches, de bronze, une mégère :

— T'es qu'un salaud !

Elle l'a acculé jusqu'à s'asseoir :

— Tu peux crever, tu me dégoûtes !

K.O. ! Prostré dans un fauteuil jusqu'à l'arrivée, jusqu'au poteau :

Tout est sorti, tout, tout, elle lui a dit de tout, elle lui a réglé son compte en une demi-heure, elle lui a fait payer dix-huit ans de plomb sur les épaules, dix-huit ans de peurs accumulées, dix-huit ans de patience ! Elle a ressorti les vieux souvenirs au grand jour, en pleine lumière, tout ce qu'il avait fait endurer à ma mère depuis qu'elle était petite fille, son acharnement à la détruire, sa capacité de la mettre à genoux, plaisir de la voir souffrir et de voir souffrir ses enfants, besoin de traumatiser tout le monde, besoin de tuer tout le monde ! Quand il avait osé faire ça précisément et encore ça, des choses qu'il aurait même pas soupçonnées dans la tête d'une petite fille, des choses qu'il avait oubliées ! Et j'en passe et des meilleures et des plus belles... Place de la Gare, quand elle discutait avec des copains et qu'il arrivait dans son char de Police-Secours et qu'il descendait comme un shérif, simplement pour lui foutre deux baffes et repartir, laissant planer la terreur derrière lui alors que tout le monde pensait qu'il était cinglé oui, justicier de mes deux !

Il a trouvé le temps long tassé dans le fauteuil, ne comprenant pas qu'elle ait pu amonceler tant de haine, l'analphabète, n'imaginant pas qu'il ait pu faire autant de conneries... J'ai fait ça moi ?

— La peur, dis, tu sais ce que c'est, tu dois le savoir, tu me l'as tellement bien enfoncée la peur, l'angoisse physique ! Je commence seulement à ne plus avoir peur figure-toi, je commence seulement à me rendre compte que c'était pas normal cette comédie d'avoir à te braver chaque fois que je te vois, chaque fois que tu rentres, d'être obligée de tricher... Qu'est-ce qu'il va inventer aujourd'hui ? Qu'est-ce qu'il va me tomber sur la tête ? Tu m'as rendu service à ta manière, tu m'as aidé à m'endurcir, j'ai appris à m'élever contre toi, mais je m'en veux d'avoir eu peur et de pas avoir compris plus tôt et de pas avoir été encore assez courageuse en face de toi ! T'as jamais été un père, tu nous as jamais aimés, tu t'es toujours conduit comme un salaud, je te le pardonnerai jamais !

Ce jour-là, il lui a fallu aucun courage pour le briser, elle a ressenti aucune pitié pour lui, elle s'est même trouvée un peu dégueulasse à la limite, parce qu'elle a enfoncé le clou et c'est rentré tout seul, dans du mou, comme dans du beurre ! Simplement, elle s'en est voulu d'être sa fille...

Sur ce, ma mère est arrivée avec ses filets à provisions, en marchant vite, elle avait reconnu les cris de loin...

Des voisins lui ont jeté par la fenêtre :

— Montez vite ! Il se passe quelque chose, ça hurle depuis une heure, c'est pas pensable !

Elle a escaladé en quatrième vitesse, elle a ouvert la porte :

Ma sœur s'est arrêtée net de gueuler, la digne fille de son père.

Lui quand il l'a vue apparaître, il s'est senti soulagé, il s'est levé, il a repris un peu de superbe en marchant :

— Mais elle est folle ta fille, mais elle est folle ta fille, mais il faut l'enfermer, si tu savais tout ce qu'elle m'a dit, mais elle est folle !

Il est allé se protéger derrière elle dans l'entrée...

— Monique ! Qu'est-ce qu'il se passe ?

— Rien ! C'est fini, je m'en vais !

— Monique !

— Je veux plus vous voir !

— Veux-tu me dire immédiatement ce qu'il s'est passé ?

— Demande-lui, il va sûrement t'expliquer !

— Monique !

Elle est partie dans sa chambre, elle a bourré des affaires dans un sac en plastique, même pas leur devoir une valise ! Elle s'est même pas changée, elle a tenu à conserver l'empreinte du fléau, une preuve qui tache, une de plus, un document de sa connerie ! Elle est passée par la salle de bains, récupérer le peu qui lui appartenait, elle est revenue dans la salle, dans l'entrée, mettre son manteau...

— Non, tu vas rester ici, Monique !

— Non, toi tu restes, moi je me barre ! Continue à le supporter si tu veux, pour moi c'est plus possible !

— Bon débarras !, il a crié du trente-sixième dessous, retranché dans la cuisine...

— Ne fais pas attention Monique, allons calme-toi, ça va s'arranger, n'écoute pas ce qu'il te dit...

— Lâche-moi, fous-moi la paix, mais tu comprends pas que j'en peux plus ?

— Dis-moi ce qu'il s'est passé, dis-moi au moins ce qu'il t'a fait ?

— Pauvre conne ! Tu me demandes ?

— Monique !

— Mais rien, il s'est rien passé, il s'est jamais rien passé dans cette putain de maison, tu t'es toujours bien entendue avec lui, je te laisse à ton bonheur !

— Arrête, ne t'en vas pas comme ça, je t'en

prie, ne m'abandonne pas, Monique... Qu'est-ce que je vais devenir sans toi ?

— Je m'en fous, je veux plus t'entendre, tout ça c'est de ta faute !

Elle est partie.

Ma mère ! Qui a encaissé un véritable coup de marteau, qui s'est recroquevillée sur la poignée de la porte, qui s'est mise à sombrer de toutes ses larmes !

Ma mère ! Qui a dû se souvenir du rendez-vous avec l'orientateur professionnel, qui s'est mordu les doigts de lui avoir donné l'occasion de partir.

Le génial mec qui lui avait fait passer des tests, il avait découvert que ma sœur était faite pour une profession artistique...

Ma mère avait craint qu'il ne l'oriente vers le théâtre ou vers le cinéma, des métiers qui n'en sont pas !

Le mec l'avait tout de suite rassurée précisément, c'était pas dans les habitudes de la maison de décevoir la clientèle :

— Une de mes amies travaille dans les laboratoires Schwarz-quelque chose, dans les cosmétiques, elle connaît beaucoup de coiffeurs, votre fille pourrait rentrer en apprentissage de coiffure, elle apprendrait un métier... ?

Ma sœur avait dit ouais, bof ! Elle était pas emballée, elle avait envie de rien... Allez, la coiffure, ça ou autre chose ! Puisque c'était le seul moyen de s'en aller...

Quant à moi je suis rentré vers sept heures avec

mon ballon de football, comme tous les samedis... Mon père était pas là, ma sœur non plus, ma mère était dans sa chambre, j'avais l'habitude... Je me suis débrouillé pour manger, pas de problème, c'était dans le frigidaire, j'ai pas senti de différence en regardant la télé.

C'est plus tard, plusieurs jours après que j'ai su qu'elle était partie Monique et qu'elle reviendrait plus ma grande sœur, plus jamais... Parce qu'elle s'était encore disputée avec ton père !

Et moi alors, elle m'a oublié ? Et le chorizo dis... ?

Mon papa, il est mort juste le jour de la libération de Paris, c'était un héros de la résistance, un ancien combattant de la première heure, il était chef d'un réseau, il a été torturé plusieurs fois par la Gestapo, il a avalé une pilule de cyanure quand il a senti qu'il allait avouer tous les noms de ses camarades.

Mon papa, il était pilote d'aviation pendant la guerre, il s'est fait descendre à la bataille de Normandie, son avion a explosé en vol contre un Messerschmitt, il a pas eu le temps de sauter en parachute.

Mon papa, il est mort le jour du débarquement en Normandie à cause du vent, il a pas réussi à contrôler son parachute et il est tombé en plein sur Sainte-Mère-Eglise, sur le clocher de l'église, en plein où étaient les Allemands.

Mon papa, il est mort dans un camp de concentration en Allemagne, on faisait des expériences horribles sur les humains, médicales mais je veux pas dire lesquelles pour pas effrayer, il a été exterminé comme des millions de gens par Hitler !

Et puis un jour, j'ai arrêté de le faire mourir pendant la guerre, dommage, j'avais pas encore épuisé le sujet à fond... Mais quelqu'un m'a dénoncé soi-disant comme mon père était mort pendant la guerre, vu que moi j'étais né après la fin, ben du coup mon père ça pouvait pas être mon père... ?

J'ai réfléchi, j'ai grandi ce jour-là... J'aurais pu me servir de celle de l'Algérie devant ces cons, ça aurait collé dans les dates, avec mes souvenirs du Maroc en plus, j'avais l'avantage du paysage... Seulement de l'Algérie à l'époque, tout le monde en parlait encore en s'engueulant, on se demandait si elle était finie, on savait plus les bons ni les méchants... Y'aurait eu celle d'Indochine aussi, mais elle s'était passée trop loin celle-là, j'ai préféré me méfier avec les guerres.

Il est mort noyé quand j'étais petit mon père, en voulant porter secours à des enfants qui s'étaient retournés en pédalo dans la mer Méditerrannée... Les enfants ont pu être sauvés mais lui il a coulé juste avant d'être repêché le dernier !

Il était pilote de course automobile mon père, il s'est tué aux Vingt-Quatre Heures du Mans, y'a un salaud qui lui a fait une queue de poisson dans un virage relevé et sa voiture, elle est sortie de la piste comme un tremplin et elle a explosé dans les gradins... Plus de cent morts dans l'histoire de l'automobile !

Et surtout, encore mieux, comme son père à lui, mon grand-père paternel qui entre parenthèses était un très grand marin, il est mort à la barre de son bateau mon père, au large de Saint-Malo... Parce qu'il avait un cancer des poumons et qu'il en avait plus pour longtemps et on l'a jamais revu et on a jamais retrouvé son corps ni son bateau... Même que moi, le jour où j'ai un cancer, je m'achète un bateau et je disparais pour toujours au milieu des flots, vaisseau fantôme, mon rêve, j'avais dix ans...

C'était ma préférée celle-là, longtemps j'ai brodé sur cette mort-là, plusieurs années de suite... Elle me suivait dans la tête, elle m'accompagnait partout, quand j'avais une mort à choisir vite, au hasard, question de vie ou de mort... Elle surgissait la première, glorieuse elle s'imposait ! Presque le même effet qu'une prière à la messe, les têtes qui s'inclinent au garde-à-vous, j'y croyais bien.

— Mais ouais, c'est ça mon vieux et peut-être que le mec qui vient te chercher à la sortie, peut-être que c'est pas ton père peut-être ?

Ah ! Je me suis battu pour la faire avaler cette mort-là, j'ai été sans pitié, elle me convenait trop :

— Bien sûr que non que c'est pas mon père, sinon je l'aurais dit, sans blague, je vois pas pourquoi je le cacherais ? Celui-là, c'est mon père adoptif qui doit m'élever jusqu'à ma majorité, c'est un tuteur pour moi, c'est tout ! Faut vraiment être myope pour nous confondre, on a aucun point commun ensemble, même physiquement on se ressemble pas...

Une paille !

Et pendant qu'ils y étaient à la limite, la femme qui vivait chez nous, ça devrait être ma mère alors avec ce raisonnement ? Pourtant je l'avais assez répété que ma mère elle était morte à ma naissance, même le directeur le savait, c'était pour ça que je me faisais jamais engueuler moi...

Je voulais leur faire regretter que leurs mères soient pas mortes à leurs naissances !

Et comment ils auraient fait ces gens-là pour m'élever et me payer des études s'ils avaient pas eu la fortune que mon père m'avait léguée par testament et que je pourrai toucher qu'à ma majorité...

Hein ?

— Mon vrai père, je l'ai pas connu, j'étais trop petit quand il est mort... Alors celui-là pour moi, c'est comme si c'était mon père à force et ça me dérange pas qu'il fasse ce métier-là, je m'en fiche, qu'est-ce que ça peut me faire puisque c'est pas mon vrai père ?

Mon père, le vrai, lequel, je sais plus le nombre de métier que j'ai pu lui inventer dans sa vie, footballeur professionnel, directeur d'usine, je me suis jamais senti à court, ça m'est toujours venu immédiatement, comme un don pour mentir : chasseur de trésors, scaphandrier des mers du Sud, ministre une fois et je pioche au hasard, je cite même pas les principaux...

Une fois, il est devenu clown, mais attention ! Pas n'importe lequel... Un clown célèbre dans le monde entier autrefois, encore plus drôle qu'Achille Zavatta ! Mais il avait arrêté sa carrière en Amérique, parce que ma mère qui était trapéziste dans le même cirque que lui, elle avait loupé un saut de la mort et elle était retombée dans le filet mais elle avait rebondi par terre et elle s'était brisé les reins... Et mon père, en voyant qu'elle resterait paralysée toute sa vie dans son lit, il s'était sacrifié pour elle et il avait décidé de tout arrêter pour la soigner ! Et maintenant, il voulait m'empêcher de devenir trapéziste, même si j'étais très doué comme ma mère, même que c'était le rêve de ma vie alors !

Quand je suis entré en sixième, dans une nouvelle école où je connaissais personne, où j'avais la chance qu'ils soient presque tous pensionnaires là-dedans, qu'ils puissent pas voir ailleurs, dehors, ce qui s'y passe... Comme les gens savaient peut-être plus ou moins, ou sauraient un jour inévitablement, l'impression de l'avoir en peinture sur le front que mon père était dans la police... A ceux qui risquaient pas de vérifier, aux internes, à des profs, je glissais qu'il était commissaire mon père, de police dans la conversation, ça me relevait le niveau.

Ça m'aurait pas dérangé qu'il soit flic et simple flic, j'aurais pu m'en contenter, j'aurais pu l'admettre s'il avait été moins con !

Juste au début de l'année, quand les livres sentent le neuf de l'imprimerie, quand on a peur des cornes et qu'on s'applique en tirant la langue à la première page des cahiers, que sa mère est morte et que son père est commissaire de police, comme ça paraît simple de suivre au tableau, ça devient facile d'être intelligent comme les autres !

Seulement voilà, un commissaire de police c'est déjà un client sérieux, ça commence à compter dans une ville de banlieue, quelqu'un qu'on souhaiterait rencontrer à l'occasion, ne serait-ce que pour lui parler de son fils et de ses études, puisque sa mère est morte, le pauvre petit.

Et quand votre père...

Alors que depuis le début de cette histoire, vous avez manœuvré pour qu'il fasse un effort vestimentaire, vous avez juste dosé qu'il est préférable de se présenter en civil devant le directeur des études...

Quand votre père il déboule à midi pile en face des réfectoires, juste à l'heure de manger, quand la cour est remplie de files d'attente, non pas en uniforme, passe encore, mais dans sa grande tenue de général en chef des armées ! Comme à la parade, avec la fourragère de la Police, la rangée de galons, les honneurs et tout un tas de boutons... Avec son képi à lisière dorée, celui qu'est rangé dans le placard de l'entrée, en permanence sous plastique, celui qui sert jamais... Excessivement fier comme sur les photos, avec ses lunettes noires de méchant où on voit pas ses yeux, pour inspirer la crainte, pour faire froid dans le dos à ses ennemis !

Il pouvait pas deviner, il regardait pas autour de lui, il était dans son monde cloîtré, dans le domaine de la police... Il aurait pas admis qu'on le dérange, il aurait pas compris, il a jamais douté de grand-chose dans sa vie !

Mon père, quand il venait me chercher à l'école le samedi midi, quand c'était la sortie des internes en même temps, quand y'avait tout le gratin des parents... Il se pointait avec son car de Police secours !

Ça l'effleurait pas de se trimbaler dans une école, tout juste s'il était vide son fourgon de prisonnier, heureusement qu'il actionnait pas la sirène pour qu'on le remarque encore plus !

Il conduisait au ralenti à travers les grosses bagnoles, comme un corbillard dans la bergerie, il se garait en marche arrière, le nez vers la sortie, paré à déguerpir d'ici qu'on l'appelle à la radio, une urgence...

Il se garait en donnant l'exemple de se garer, décontracté du volant, le coup de frein brusque, le roi de la manœuvre, il coupait le moteur, il descendait !

Il restait pas caché prisonnier à l'intérieur, il descendait !

L'uniforme en avant et toujours le képi sur la tête, il se sentait pas un flic s'il était pas armé de son képi... Parent d'élève ici présent, mais flic avant tout ! Jamais il oubliait qu'il était flic, en toutes circonstances, partout où il allait, même en dehors des heures de services, même en civil, même en dormant !

Il avait la bougeotte pour m'attendre dans l'allée de l'école, cette façon de s'intéresser aux départs en surveillant les arrivées, tout en flânant, il pouvait pas s'empêcher d'avoir l'œil, il se sentait pousser des doutes sur certaines personnes, des parents qui lui inspiraient pas confiance, il choisissait ses victimes d'après leurs sales gueules, sur le nombre, c'était fréquent que ça lui prenne, qu'il se braque du regard...

Cette façon de se propager vers la voiture du suspect sans dévier sa trajectoire, il se rapprochait des carreaux, un œil braqué sur les occupants, dévisageant les femmes, des mamans... L'autre œil sur la banquette arrière, dans le coffre, il aurait transpercé la tôle avec son regard, ça le démangeait de découvrir des armes à bord d'une voiture, il attendait que ça... J'explique pas sous le képi, la dimension du tour de tête, l'écart, l'auréole sur autrui !

Comme la pêche était mauvaise, il en voulait à la voiture, machinalement il revenait en arrière, simple vérification à propos d'un détail au pot d'échappement, un coup d'œil sur la plaque minéralogique... Son manège de contourner l'obstacle en me cherchant des yeux, ça lui faisait fonctionner la mémoire, des fois que le numéro de devant corresponde pas avec celui de derrière... Un froissement d'aile, une égratignure sur la peinture et le voilà qui s'immobilisait la langue pendue, roulant des yeux sur la mécanique ! Des fois qu'il aurait établi le rapprochement avec un autre accident le fin limier, des fois que ça lui déterre un vieux délit de fuite avec vol de voiture... ?

J'étais planqué derrière un arbre dans mon trou de souris, fasciné par son audace dans le manque de se rendre compte... Je devais calculer mon moment pour sortir, assez pour qu'il me voit, juste sans qu'on me voit, au millimètre près, je m'élançais tout en finesse, en serrant les fesses, avec des casseroles attachées au bout de la queue !

J'avais pas besoin de l'attendre heureusement, les portes de l'ambulance étaient jamais fermées en escaladant à l'avant... Je m'affalais sur le siège, le cartable sur le ventre, la tête qui dépasse pas les carreaux, les yeux qui voient que du bleu à travers les branches vertes.

Pourvu qu'on m'ait pas vu, mon Dieu, faites que personne s'en souvienne ! Pourvu qu'il m'ait vu, bon Dieu, faites que j'ai pas à redescendre ! Alors nom de Dieu, tu te grouilles, barrons-nous, vingt-deux, tirons-nous de là !

En ce temps-là sur la terre, dans cette nouvelle école où j'avais atterri en sixième, il y avait les riches et les pauvres, les internes et les externes... Deux races à part, deux mondes réunis dans un grand geste de l'enseignement libre à l'égard de la population ambiante, à proportion de un pour cent... D'un côté, à ma droite, ceux qui se pavanaient en pension complète, sans compter l'argent de poche, ceux dont les parents avaient les moyens de payer... De l'autre, à ma gauche, ceux qu'on acceptait comme demi-pensionnaires, qui payaient beaucoup moins d'argent par trimestre, ceux dont les parents aimaient pas recevoir les notes de fournitures... Entre les deux régnaient la haine ouverte, affichée à tous les tableaux ! L'interne était chez lui, dans son école privée, l'externe aurait pas dû avoir le droit d'en profiter... L'externe puait, il était mal habillé, c'était un sale externe, un exclave, etc.

Flic !

J'entends le mot comme avant dans la cour de récréation...

Flic !

C'est à moi que ça s'adresse, le petit frisson dans le ventre...

Fils de flic !

Touché, coulé, fusillé en plein dans le mille !

Toutes les classes étaient mélangées pendant les récréations, de la sixième à la troisième, on jouait et au début de l'année, on s'appelle encore par son nom de famille en sixième...

Alors y'a deux grands qui nous ont gueulé après pour qu'on s'arrête et qui m'ont fait signe d'approcher, moi seulement, les autres dégagez ! Ils étaient adossés au mur, l'air fainéant, des internes, méfiance...

Ils ont attendu que j'approche à portée de main pour me poser la question, comment je m'appelais exactement... ?

J'ai demandé pourquoi ils tenaient tant à le savoir ? L'air de commander, comme un imbécile...

Quand des grands posent une question, le petit doit considérer comme un honneur de répondre à la question... Sinon c'est l'outrage ! Il risque de se faire courir après, il va se faire rattraper et à tous les coups c'est la trempe ! Avec interdiction formelle de se défendre et encore moins d'aller se plaindre, sinon alors là c'est l'escalade, la vendetta, ça peut aller jusqu'à l'infirmerie !

J'ai bien vu que je les avais agacés à répondre sans réfléchir, pourtant j'ai pas reçu de baffe, silence au contraire, tout le monde nous regardait... Je comprenais qu'ils puissent pas répéter deux fois la même question à un sixième, ou alors en blaguant mais c'était pas leur genre... Pourquoi ils essayaient pas de me foutre une baffe, comme ça j'aurais répondu ?

J'ai commencé à m'impatienter sur place, enveloppé d'une armure invisible, j'ai tourné la tête, comme s'ils m'intéressaient plus les deux zouaves, comme si l'entretien était terminé...

Alors y'en a un qu'a demandé tout foireux, timide dans mon dos :

— Hé... Tu t'appelles Delon ?

Ils croyaient que je m'appelais Delon les deux couillons, ils étaient en train de me demander si j'étais pas le fils d'Alain Delon par hasard, au moins quelqu'un de sa famille, ça m'a réchauffé qu'ils puissent me confondre avec si prestigieux !

Mon nom, parmi les sixièmes, c'était Mon-nom-fils-de-flic, tout le monde savait, c'était l'arme absolue contre moi ! Ça s'est passé très vite dans ma tête, je me suis dit que si ça atteignait les troisièmes ! J'ai imaginé toute l'école rassemblée dans la cour, tous en train de scander :

— Mon-nom-fils-de-flic ! Mon-nom-flic-de-flic ! Mon-nom-fils-de-flic !

Je me suis pas dégonflé de profil, l'œil mauvais, très cinéma et tout et tout :

— Ouais, je m'appelle Delon...

Comme si c'était la dix millième fois que je répétais la même chose, genre mon père c'est même Alain Delon si tu tiens à le savoir,

153

demi-tour-droite, les mains dans les poches...

Le mec qu'en a marre de plus pouvoir faire un pas dans la rue sans qu'on le reconnaisse ! Et alors, tu veux mon autographe ?

Cloués les mecs, crucifiés, épinglés au tableau de chasse !

Seule difficulté à l'époque si je me souviens des couvertures de magazines, il devait avoir dans les trois ou quatre ans le fils d'Alain Delon, pas plus, je sais plus, je m'en fous... Je sais que lorsque l'on porte un nom célèbre comme celui-là, quand les parents ont réussi, on a plus de facilités que les autres pour y arriver, de là à être en sixième à trois ans, on espère pas.

C'est la seule fois où mon père a fait du cinéma, trop dangereux comme métier, trop risqué en récréation.

Je les ai revus mes deux grands tout au long de l'année, j'avais pris l'habitude de les situer dans la cour, j'étais plus tranquille de les savoir loin de moi... Des fois qu'ils me surprennent par-derrière et qu'ils me flanquent autant de baffes qu'il avait tourné de films, Alain Delon !

Un jour, je les ai croisés en bas de l'escalier, j'attendais une bande de troisièmes qui dévalaient les marches... Ils regardaient pas devant eux, priorité, ils étaient plus pressés que nous... A peine j'ai eu le temps d'avoir peur qu'ils étaient déjà passés tous les deux, à quelques centimètres !

Ils m'avaient même pas reconnu...

En France, il y a une différence flagrante entre la police et la gendarmerie dans l'esprit des gens, le gendarme est mieux considéré dans l'ensemble, davantage respecté qu'un flic... Il paraît que c'est plus difficile d'entrer dans la gendarmerie que dans la police, paraît qu'à l'examen les questions sont plus dures, le zéro est éliminatoire en dictée... Sans doute que ça suffit pour qu'il y ait moins de cons chez les gendarmes que chez les flics ? Chez les gendarmes, je dis rien, c'est comme partout... Chez les flics, je le dis, il y en a, je dis pas tous, je me couvre, je dis il y en a, il y en avait au moins un et je le prouve : mon père !

Et j'annonce pas ça à la légère, je me sens lourd, je pèse au contraire, je peux le dire tout haut, je sais de quoi j'ai le droit de parler... Le milieu, je le fréquente depuis tout petit, j'y suis né, j'y ai poussé dedans, j'ai pu juger ! Ça faisait partie de mes loisirs de pouvoir constater, tous les jours si je voulais, j'étais le bienvenu au commissariat, j'étais le fils du brigadier-chef, personne se méfiait de moi, infiltré par l'intérieur, j'aurais pas pu trahir...

155

C'était le roi du pont d'Argenteuil mon père au Commissariat, c'est lui qui s'était surnommé comme ça... Quand c'est lui qui s'occupait de la circulation le soir sur le coup de six heures, y'avait pas d'embouteillages avec lui, ça n'existait pas les embouteillages avec lui, ça circulait ! Il était connu des automobilistes, y'en a qui le saluaient, qui lui disaient merci, y'en a qui priaient le bon Dieu pour que ça soit lui tous les soirs !

On l'appelait Frappe-qu'un-Coup mon père au Commissariat, il s'en vante encore, ça fait long-temps qu'il s'en vante... Pour obliger les prison-niers à parler, il les assommait d'un coup de tête, avec le front ! Le coup de boule, il dit, Frappe-qu'un-Coup, faire péter la cervelle ! Il est né, il avait la tête dure mon père...

Surtout envers les Arabes, c'était un spécialiste des Arabes si on peut dire, pour leur délier la langue, il menaçait de leur tirer une balle dans le crâne et de les enterrer après dans une peau de cochon ! Il agissait sur l'âme, très fort, radical comme méthode, infaillible pour qu'ils avouent, encore pire quand c'est chuchoté en arabe dans un commissariat français !

A l'époque, c'était considéré comme une qualité dans ce métier de flic que de savoir bavarder avec les Arabes, surtout dans la région d'Argenteuil à très forte densité de population.

Quand même, fallait pas hésiter à sortir son revolver, fallait pouvoir leur appliquer sur la tempe, sans que ça parte ! Des qualités de sang-froid et d'autres qui s'inventent pas, des qui proviennent de soi, dès qu'on travaille à l'entraînement, c'est le métier qui rentre ou qui rentre pas.

Il me racontait ça mon père, tout ça pareil en détail avec des exemples accomplis, avec des noms à l'appui, avec des mots d'arabe à la clé... Il était fier de sa trouvaille de la peau de cochon, fier de me la raconter, fier de me l'offrir comme un conseil d'un père à son fils, genre quand je serai grand j'aurai besoin de m'en servir.

C'était sa manière à lui de participer à mon éducation, il se rattrapait comme ça, il déposait son obole, je profitais de l'expérience acquise dans la famille, genre garde-le pour toi mon fils, ne le dis pas à tes copains.

Il me parlait de ses hommes au commissariat, de l'admiration et de la crainte qu'il leur inspirait à tous, comme il était respecté et haï en même temps, aimé comme un chef... Jusqu'au commissaire qui pesait le pour et le contre avant de le contrarier sur ses méthodes, qui savait reconnaître ses mérites en constatant les bons résultats !

Il essayait de s'infiltrer en douce, je le sentais venir, il tâtait le terrain en se faisant miroiter, il aurait été content de m'inoculer la vocation dans le crâne, ça lui aurait fait plaisir que j'entretienne le flambeau plus tard...

Il me parlait de leurs regards quand il se mettait à parler arabe au commissariat, on entendait voler les mouches, il dictait le silence... T'aurais vu leurs têtes quand l'arabe décidait de passer à table, en

pissant dans son froc tellement il avait les trouillo-
mètres à zéro, en parlant tellement vite qu'on
comprenait plus rien :

— Et sans l'avoir touché mon fils, je t'assure,
rien qu'en parlant arabe !

Le devoir du supérieur d'exercer sa domination
sur les autres, de toujours avoir raison, de toujours
montrer l'exemple, toujours le premier à se jeter
dans la bagarre, jamais peur de prendre des coups,
aucune hésitation à en donner !

Il levait sa main droite en l'air comme un
sceptre, il la tournait lentement devant mon nez
pour que je l'admire sous toutes ses coutures... Sa
main droite, celle qui était toute cabossée, celle
qu'il s'était fracturée je sais plus combien de fois à
force de cogner sur la gueule des gens, au mépris
de la douleur et du danger !

Je lui laissais croire ce qu'il voulait, que je
deviendrais fort comme lui, que j'aurais la tête
dure comme lui, pour quand je déciderais d'être
un bon flic comme lui...

— Comme ton père, hein mon fils !

— Oui papa.

C'est terrible quand on est gosse d'avoir honte de ses parents, c'est terrible quand on peut rien dire au bout d'un moment, on s'en aperçoit en grandissant, un beau jour on découvre que c'est plus de son père ni de sa mère qu'on a honte maintenant... C'est de soi-même ! On l'a attrapé !

Un enfant, quand ça lui tombe dessus, le chaud, les vapeurs d'eau bouillante, des bouffées jusqu'aux oreilles ! Quand il a ressenti le vent de la défaite, le vent qui souffre, la lave, les idées noires... C'est foutu pour lui, ça s'effacera plus, il l'aura dans la peau jusqu'à la fin de ses jours !

Le pire, c'est que ça puisse plus se cacher après ! Si vous essayez d'oublier pour une fois, au moins de rien montrer sur la figure... Ça se verra quand même n'importe comment, ça ressortira, ça supporte pas le renfermé, c'est l'envahissement !

J'ai compris ça un jour à ma façon de marcher, je me baladais dans la rue les mains dans les poches, je me suis regardé dans une vitrine, je me souviens, c'était un magasin de chaussures... Je marchais en tendant le cou, déséquilibré vers l'avant, la tête pendante, la silhouette d'un réverbère... Je marchais en éclairant par terre, comme si j'avais beaucoup de mal à avancer dans mes sombres prières, comme si je portais ma honte sur les épaules, lourde à trimbaler ma bosse, réellement du poids !

Je me suis arrêté sur le trottoir, je suis devenu rouge à la surface ! Je me doutais pas que ça puisse se voir autant, pas de cette manière, pas si facilement ! J'ai regardé si des gens m'avaient remarqué...

J'ai contemplé des nuages qui bougeaient là-haut dans le ciel tout en respirant, sortir les mains de ses poches, remettre le ventre à l'intérieur... Je suis reparti la tête droite, les épaules en arrière, l'air spirituel, mais c'était plus du tout naturel comme démarche.

Sans me vanter, j'étais prédestiné, je pouvais plus y échapper : mon père, ma mère, à la maison, dehors, à l'avenir, j'étais cerné de tous les côtés !

Moi, en sixième, je passais ma vie à la porte dans un couloir aux petits carreaux, surtout pendant les heures d'histoire-géo... Elle m'aimait pas Melle Bizouard, je pouvais pas remuer les lèvres, un chuchotis de travers et je l'horripilais tout de suite ! Elle était tellement moche aussi, tous les jours habillée en noir avec des petites lunettes rondes pour nous espionner par-dessus... C'était pas une bonne sœur à proprement parler, mais une civile embrigadée.

Elle nous apprenait l'histoire comme la géographie, à la baguette ! Elle récitait d'une voix sourde, comme elle savait prier en latin, sans relief, sans imagination... Elle débitait pendant des heures en marchant, elle stationnait dans les allées parderrière, la circulation atmosphérique, l'invasion des températures en dessous de zéro...

Je l'entendais plus à force, je la croyais noyée dans ses chimères :

— Bizou, bizette, égal bizouard !

Elle me pinçait par l'oreille avec ses ongles,

ouïlle ! Elle tirait fort sur les petits cheveux, lance-boulettes confisqué sous la table, aïe !

Elle se métamorphosait au tableau noir, punition à décalquer pour demain matin, un zéro de plus et dehors !

J'étais surtout paniqué de me lever, qu'elle m'oblige à marcher devant tout le monde, la condition du cancre irrattrapable, le passif est trop lourd en sixième, le pauvre bonnet d'âne pendant sa vie entière...

J'essayais de dire au revoir en me dépêchant, comme si j'avais de la chance avant de disparaître, coucou, le dernier sera le premier en récréation !

Et puis vite j'oubliais, je m'en foutais complètement dès que j'avais dépassé la porte, les mauvaises ondes s'échappaient de moi, le sentimentalisme entre les doigts, aucun regret tu parles, ça les faisait rire les autres, ça nous empêchait pas de jouer aux récréations, elle façonnait pas la partie intégrante de notre vie !

C'est dans mon couloir aux petits carreaux et pendant ces heures de classe à la porte que j'ai réalisé l'importance de la grammaire à l'école, à quel point c'était utile dans la vie pour pas s'ennuyer...

La grammaire pouvait se réviser en trois genres distincts : le féminin, le masculin et le neutre... Le neutre se subdivisait à la manière du Saint-Esprit, il englobait les animaux, les noms propres, la totalité des choses et des objets, l'ensemble de la matière... Y'avait des tas d'adjectifs à se servir pour inventer la forme, du mouvement, la couleur de la parole, au singulier comme au pluriel... Des mots invariables, les adverbes, qui n'appartenaient à rien ni à personne, en outre, j'en connaissais d'autres, la plupart du temps, d'ores et déjà... Y'avait des conjonctions de coordination en analyse logique, des compléments d'objet direct placés avant, y'a-vait le plus-que-parfait du subjonctif...

Tout était une question de fluide dans la bouche, j'obtenais des subtilités de différence de débit dans les papilles... Plus c'était féminin, plus ça me salivait dans la bouche, et plus c'était singulier, plus ça restituait la légèreté, la finesse de la source...

Dans le cas du masculin, l'intérieur des joues restait sec, poreux, sans bavure, morne plaine... Quant au pluriel n'en parlons pas, avec un mascu-lin pluriel j'avais la langue calcaire, des envies d'avoir soif aux lavabos ! Le pluriel était d'un lourd fardeau aveugle ! Qu'il y en ait deux, trois cents ou quarante mille, le pluriel se contentait d'appliquer un s, bête et discipliné, marchand de cochon enrichi qui digère.

Bien entendu, je préférais le féminin singulier à tout autre genre humain, une ombrelle, de la mousse, une perle, de la dentelle, une rondelle de mortadelle, on peut s'en aller loin dans un couloir à petits carreaux...

Les marrons, les troncs et les cahiers de brouil-lon, c'était pas la peine, rien que d'y songer, j'en avais des valises et des tonnes à transporter par chemin de fer !

Le féminin se faufile, se libère, une décibelle, vous l'enfourchez comme un balai en appuyant sur le bouton du majuscule, décibeLLE, un grand coup d'hélice à la fin et ça décoLLE ! Vous avez de la direction devant vous…

Même le pluriel s'incline au féminin, il cède parfois, c'est rare, il multiplie la révérence ! Comme une branche mûre, une grappe trop bien remplie, comme un été trop chaud… Une abeille salive autrement que des gamelles, c'est d'accord, ça s'entend plus suave, on voyage plus intime… Mais des voyelles ? Avec deux ailes qui frétillent… Des hirondelles qui s'éparpillent chacune, des demoiselles qui s'égarent, qui s'égosillent comme un troupeau d'enfants… ?

Un pieu encore, s'il y en a qu'un, ça va s'arranger, un seul pieu planté dans la glèbe d'un champ de patates, un bout de bois sans branche, ça peut devenir une épée, une lance, une canne à pêche, avec de la ficelle on attrape la grenouille… C'est moins grave que des pieux, quand le pluriel s'en donne à cœur joie, quand c'est d'un x qu'il s'agit au masculin, des pieux comme des croix sur un champ de bataille, vous pouvez vous dire adieu, y'a comme une impossibilité de s'en sortir un jour.

Le masculin ne craint pas la pluie, aucun risque, il est imperméable, à l'abri d'un rhume, au singulier comme au pluriel.

Le masculin est proche du neutre quand la lumière baisse, quand les vent coulis se frôlent dans le couloir, quand j'oubliais de prendre mon pull avant d'être éjecté en chemisette de prin-temps, quand j'oubliais même mon manteau au porte-manteau ! Simplement recouvert d'un drap fin en popeline de soie blanche...

Dans ces cas-là, rien de tel qu'un féminin-pluriel pour se réchauffer les alouettes, des coquillettes, des castagnettes qui croustillent, deux petits t qui se frictionnent l'un contre l'autre, du petit bois qu'il faut réalimenter en cadence... Des allumettes, des cigarettes et plus il y a de pirouettes et de cacahuètes sur la braise, plus l'atmosphère se consume derrière la porte, et plus la flamme s'élève, plus le temps s'écoulait dans un couloir aux petits carreaux.

Et pendant les heures de grammaire à la porte, il y avait une pente douce et rectiligne jusqu'aux toilettes, tapissée d'une immensité de pétales en céramique clairsemée... Petits carreaux à picorer par terre, piquetés de toutes les couleurs, mou-chetés de rouge, entiers de bleu, des centimètres et des centimètres carrés qui s'évadaient sans logique aucune, sans schéma rébarbatif...

La bille était un instrument indispensable quand on était foutu à la porte, sans la bille, la grammaire n'aurait pas survécu à toutes ces heures de souve-nirs... La bille n'a pas de face cachée, elle est ronde, transparente, cristalline, elle peut prévoir l'avenir à condition de savoir la lancer :

Me revoilà face à la douce, accroupi à genoux, entre pouce et index, je dépose ma bombe au sommet de la pente bariolée, à l'endroit de la bascule, avec certitude je lâche, sans effet... La petite boule qui vibre, sursaute, se cabre au premier pavé, rebondit, s'élève, voltige d'une couleur à l'autre, s'accroche aux aspérités, clique de plus en plus fort ! La céramique ne garde rien pour elle, pas d'écart, elle transmet toute la charge comme un tendeur-détonateur qui propulse la bille sans frottement jusqu'aux chiottes !

Sachant que la pente est douce mais régulière, sachant que les jointures entre les lignes ne sont pas d'un lisse à toute épreuve, sachant qu'une agathe reproduit le même boucan qu'un calot divisé par quatre, avec quelle amplitude la bille s'écrase-t-elle contre le mur d'en face et traduisez la réaction de la classe ? Quel est le nombre de rires dans le tas ? Et le rire de Melle Bizouard ? Faut-il récupérer la bille dans la cuvette des waters... ?

Des fois, quand je les entendais rire, je riais aussi, j'éclatais en silence, une façon comme une autre de parvenir dans la classe.

Des fois, elle attendait que ça soit fini, le silence total et vite, elle rattrapait sa leçon...

Je devenais fantôme abandonné entre les murs, je n'existais plus qu'à tinter ma chaîne de billes à la porte.

J'étais triste à ma place, tous ces petits carreaux pour moi tout seul, une fortune de petits carreaux à mes pieds, un immense trésor sur une île déserte.

Des fois, j'en prenais trois-quatre-cinq alignées sur la grille de départ, feu rouge... Cinq, quatre, trois, deux, un : Partez !

166

La déboulade, les anicroches à rebond, les carambolages dans le désordre, les pétards Z-Z, la mitraillette à papa !

Là, elle sortait... Et j'avais peur ! Des millions de globules rouges qui zèbrent dans une cloche empaillée, enfin j'avais chaud !

Elle refermait la porte de la classe, elle prenait le risque de les laisser seuls pour me rejoindre jusque dans les toilettes... Elle me regardait, elle me disait rien de spécial, elle criait pas, elle me touchait pas, elle était plus calme que prévu à chaque fois, j'avais outrepassé son envie de cogner...

Elle montrait qu'elle avait beaucoup de patience à travers ses binocles, pendant que je cueillais les billes au vol, le temps que je les range toutes dans ma poche, elle m'indiquait le bon chemin, le doigt tendu... Passe devant mon gaillard !

Je remontais la pente du champ de bataille, j'ouvrais la porte de la classe, les sourires étaient là...

Silence énorme en me faufilant, l'incident était clos, sans un mot méchant.

Depuis que ma sœur était partie de la maison, mon père disparaissait le dimanche sans prévenir, des fois pour la journée, quelquefois jusqu'au lendemain matin...

On l'entendait se démener de bonne heure dans la cuisine, rincer son bol, à peine tinter la casserole, mais il s'attardait plus au petit déjeuner comme avant... Un dernier coup de peigne dans la glace de l'entrée et le courant d'air s'en allait respirer sous d'autres cieux, sans claquer la porte de la maison, une paix royale... Il avait de nombreux rendez-vous au P.M.U. de la gare !

Vers les neuf heures, neuf heures et demie, ma mère me souhaitait le bonjour à travers le mur, je répondais oui à la question de savoir si j'avais bien dormi, c'est elle qui se levait la première pour préparer le petit déjeuner.

Je pensais à rien sur mon matelas perrhé, je vivais de longs silences au plafond, c'était nouveau, j'avais pas l'habitude que ça s'apaise le dimanche matin, j'attendais qu'elle m'appelle quand c'était prêt.

C'était devenu la coutume au petit déjeuner, j'avais faim ! Je dévorais des empilades de tartines grillées qu'elle m'avait barbouillées à la confiture de fraise sur des plaques de beurre salé, dans un grand bol de lait à la chicorée avec deux-trois morceaux de sucre... Et les dernières tranches dorées et croustillantes, je les tapissais moi-même de camembert coulant, le plus puant possible, le salé qui l'emporte au fond du bol... J'avais un de ces mals à m'arracher du tabouret de la cuisine !

Je me dirigeais vers la gauche en sortant, direct dans le couloir, d'abord aller récupérer ma couverture et mon oreiller...

Je revenais en traînant du bide dans la salle à manger, un emplâtre qui se forme sur l'estomac, je m'affalais dans le fauteuil instinctivement... Aussitôt levé, aussitôt recouché le dimanche, jour de repos ! Incapable de m'habiller maman, effort surhumain, même plus le courage de descendre à la messe à Saint-Maclou ! Même pas envie d'un flipper avec l'argent de la quête... J'avais une de ces flemmes en allumant la *Séance protestante* !

Après la petite vaisselle, elle retournait s'allonger ma maman dans sa chambre en laissant la porte du couloir ouverte, elle avait plus besoin des images pour suivre à la messe, elle me demandait de penser à hausser le son au moment du sermon... J'y avais piqué sa place dans le fauteuil !

Elle venait m'embrasser quand même avant de me laisser tout seul comme un grand, elle était contente que je montre autant d'entrain à vouloir m'intéresser à la messe... Elle s'agenouillait auprès de moi, un baiser sur le front, elle était rassurée sur mes bonnes intentions, elle voulait se frotter joue contre joue, le bout du museau qui pique... Elle me recommandait surtout d'être attentif au moment du sermon, de faire tout mon possible pour enregistrer le message de notre Seigneur Jésus-Christ.

J'y pigeais pas grand-chose en catéchisme jusqu'à présent, parmi tous ces prodiges qu'on me racontait sur Dieu, j'imaginais rien de comparable autour de moi... Dieu, le père tout-puissant, le Fils et le Saint-Esprit pour moi, c'était néant, du jamais vu... Comme une table qui se soulèverait toute seule dans la salle à manger.

Et pourtant j'aimais bien la regarder la messe à la télé, en suçant mon pouce, j'étais ravi de voir autant de monde debout, assis, debout, tout le monde en forme, le bon Dieu ressuscité tous les dimanches dans une paroisse différente !

Je faisais des piques de la main gauche dans ma veste de pyjama, en suçant mon pouce, j'emberlificotais le tissu en cône très serré et le bout de la pointe, je me l'enfonçais sous l'ongle, entre les peaux, jusqu'à ce que ça fasse mal... Je me promenais avec une fusée au bord des lèvres, je me ramonais les crottes dans les trous de nez, j'enfonçais une fléchette au coin de l'œil en cherchant la toute petite douleur à la racine, par le toucher délicat.

Des fois, c'était pas le moment de se rendormir à

la messe, y'avait des églises qui prenaient des risques, finies les vieilles prières en latin, on avait découvert les paroles en français, les fidèles s'étaient considérablement rapprochés de l'autel, le curé nous tournait plus le dos... On savait si c'était du vin blanc ou du noir foncé en gros plan, s'il buvait jusqu'à la dernière goutte, s'il s'essuyait bien comme il faut avec le torchon, s'il avait le nez rouge après... Y'avait de la musique pour inciter les jeunes à participer, la chorale du diocèse est accompagnée à la guitare électrique par le groupe de la Cité des Cordeliers... La parabole était récitée par un petit garçon de mon âge, la voix tremblotante dans le micro des messes modernes... Mon Dieu, pourvu qu'il y arrive sans se tromper, faites-le !

Au moment du sermon, je me relevais pour hausser comme elle l'avait demandé, je l'avais pas oubliée dans sa chambre, j'en prenais bien soin de ma maman dans sa chambre, j'en prenais plein les oreilles à cause de ma malade...

Je m'installais correctement assis dans le fauteuil, la couverture dépliée jusqu'aux pieds pour calfeutrer les interstices, je retapais l'oreiller du côté froid, une meilleure bombance pour soulager le cou en regardant de travers, voilà, chut ! C'était le début de mes biens chers frères, attention... Prions !

Et ça m'est arrivé certaines fois de me sentir embarqué par les paroles en écoutant monsieur le curé, il me semblait que je comprenais un peu dans cette église sans savoir tous les mots, à mon grand étonnement soudain, je sentais naître des sentiments au radar et les bonnes résolutions de chacun... En ce premier dimanche de la Pentecôte, c'est un jeune prêtre qui s'adressait aux hommes de bonne volonté, simple dans sa façon de dire les choses, comme à la campagne, facile à comprendre pour tout le monde, si tous les gars du monde voulaient se donner la main ! En voilà un qui avait pas honte de montrer sa foi en Dieu devant des millions de téléspectateurs, il était lumineux avec ses mots d'amour, il m'éclaboussait en disant de faire du bien aux autres, presque en train de me faire pleurer celui-là avec du beau, du bon... Et Dubonnet ! Non, sans blaguer, il disait la vérité, il ouvrait son cœur en puissance, on avait plus le droit de se moquer de lui... Et d'ailleurs moi aussi j'en avais des poussées à cet endroit-là et des révélations comme par éclats ! Et des envies de bien faire et de partager et de m'appliquer à l'école pour devenir soigneux ! Et j'étais d'accord pour croire en Dieu si c'était ça, si on pouvait devenir comme ça... ?

Mais c'était vague encore, les premières décharges dans la poitrine, des larmes de crocodile à peine, simple éclaboussure mon œil...

Y'avait des parents drôlement emmerdés quand le boutchou avait soif sous les projecteurs, quand les clochettes sonnaient le biberon au moment de l'élévation.. Y'en a qui sortaient carrément, obligés de rebrousser toute la rangée, coupables de distraire l'attention du public en direct!

Je les trouvais gonflés les gens d'aller communier quand y'avait la télé, surtout les premiers à s'engager dans l'allée plein cadre, les doigts croisés pour recevoir l'ostie des mains de l'objectif... Y'avait des mômes qui se marraient dans la file en nous regardant, en fermant les yeux pour faire croire qu'ils étaient en train de prier, y'en a qui pouvaient pas s'empêcher de rigoler en tirant la langue au curé... Non, c'est pas vrai, mais d'une manière générale, les fidèles étaient tous bien habillés pour venir communier devant les caméras de télévision.

A midi cinq, y'avait la *Séquence du spectateur,* à ne pas confondre avec la *Séquence du jeune spectateur,* du jeudi... C'était Catherine Langeais qui provoquait la confusion, la femme de Pierre Sabbagh.

Normalement, ma mère se relevait pour préparer un petit quelque chose à manger, des coquillettes à la sauce tomate avec de la crème fraîche et du gruyère râpé... Elle m'apportait une serviette et mon assiette pendant le journal télévisé, je mangeais à la romaine en suivant les nouvelles du monde entier.

Je me tapais les publicités dans la foulée, les annonces des speakerines, le feuilleton télévisé, les émissions de variétés, j'avalais tout ce qui me passait par les yeux, le jeu de la chance aux chansons avec Pierre Spiers et son orchestre... J'avais même une préférence pour la suite et les grands événements sportifs, les accélérations de Léon Zitrone dans la dernière ligne droite des tribunes, le Challenge Yves du Manoir en direct de Carcassonne, sur des commentaires de Roger Couderc, ça chauffait dur en mêlée ouverte avec tous ces drapeaux qui s'agitaient dans les tribunes et les coups de klaxons, j'en avais pour l'après-midi à me gaver !

Je finissais par la regarder des dimanches entiers la télé dans le fauteuil en pyjama, pas lavé, encapuchonné dans ma longue couverture qui nettoyait par terre, sur le lino... Les résultats complets de basket, le classement par poule, nouveau record de France en haltérophilie, des images de canoë-kayak à la sortie... Et c'était déjà l'heure des publicités ou plutôt, c'était bientôt le début du grand film de l'après-midi, enfin !

J'en profitais pour aller faire un petit pipi sans faire de bruit dans le bidet de la salle de bains, en passant dans le couloir, je jetais un œil sur le sommeil acharné de ma mère... Et si j'avais encore le temps, je bifurquais par la cuisine façon de me dégourdir les jambes, je reprenais un peu de tonus en farfouillant dans le frigidaire, une ou deux tranches de jambon avec les doigts, des saucisses de Strasbourg plongées dans le pot de moutarde au bout d'une fourchette, à toute vitesse avec du pain, un grand verre de lait d'une seule gorgée !

Je replongeais *illico presto* dans mon cocon bien au chaud, rempli à ras bord, juste avant que ça commence en 1632, un voilier pirate accoste à la tombée de la nuit, à la lueur de la télévision française, une ambiance à l'infra-rouge à la maison...

Moi, c'est regardant des films de série B que j'ai connu les larmes, les vraies, celles qui viennent du beau... Le plaisir de laisser couler sans peine et sans reproche, sans avoir mal, sans pouvoir m'en empêcher, je m'étais jamais permis de le faire tout seul sans me cacher...

Moi, j'attendais le moment où j'allais déborder si ça continuait le grand amour partagé entre les êtres, la justice portée en triomphe par les populations, la vérité qui saute aux yeux à la fin... La comédie avait assez duré, les traîtres étaient tous démasqués et la vengeance était terrible, car les méchants étaient toujours punis, exterminés jusqu'au dernier, balayés du sommet de la terre ! Et les deux orphelines retrouvaient leur maman à la dernière image, ô comme c'était beau, miracle ! Les efforts étaient toujours récompensés ! Paré à déborder par tous les canaux...

La vie s'ouvre, si vaste à découvrir, très immense ce qui peut se traduire quand on devient capable de s'émouvoir en regardant des trucs qui font pleurer !

Je poussais des sanglots longs interminables en pensant à tous ces gens heureux, j'étais soulevé d'admiration devant la réussite des autres et des exclamations bêtes, même si le film était fini depuis longtemps !

Je tremblais en faisant des grimaces affreuses

maintenant, comme si je digérais ma peine par les yeux, comme si je faisais s'évaporer mon surplus ! Je pleurais en me cachant avec les mains, même si personne me voyait, je pleurnichais que ça n'arrive qu'aux autres, en imagination visuelle, dans des films à dormir debout... Ça serait jamais à moi toutes ces belles choses, jamais pour moi, jamais atteintes par moi, parce que j'étais resté toute la journée coincé dans ce fauteuil, incapable du moindre effort ! J'aurais eu besoin que tout le monde s'aime autour de moi, qu'on soit tous gentils et généreux sur la terre et qu'on s'entende, qu'on soit tous frères, j'étais pas sorti de l'auberge !

Et ça durait, ça me durait dans le fauteuil, j'étais condamné à y passer ma vie, je me remettais à pleurer par saccades, j'étouffais en suçant mon pouce, j'étais banni ici, englouti jusqu'aux entrailles, je me perçais les lèvres avec la pique, je plantais ma griffe au fond de l'œil, j'arrivais à transpercer les nuages au-dessus de ma tête, je laissais jaillir des trombes de chagrin sur ma tombe !

J'en étais là dans le fauteuil jusqu'au soir, je restais là jusqu'à ce que ma mère me force à éteindre après les informations... J'allais pas m'endormir devant la télé, non !

J'étais d'accord avec elle, j'en avais suffisamment ma dose... Je titubais en me levant, ankylosé de paresse, abruti par la succession des images depuis ce matin, je retraînais la couverture et l'oreiller au fil du couloir... Je grimpais dans mon lit et je fermais les yeux, encore secoué de particules vibrantes, des images qui se profilent à l'horizon, des sonorités dans la cervelle, comme une giboulée d'impressions... !

Devant tout ce fouillis caverneux du dimanche soir, liqueur à manier avec des pincettes, à décortiquer du bout des doigts, pouah ! Je me suis interrogé sur mes fissures pour la première fois de ma vie, je comprenais pas pourquoi je craquelais dans le noir au lieu de m'endormir comme avant... Qu'est-ce qui était possible pour un petit garçon comme moi, un vagabond des songes et des prières du soir au pied de son lit... ?

Je priais le bon Dieu pour que ma vie devienne belle s'il vous plaît, que ça se passe bien et beau dans la mienne, il le faut mon Dieu que ça s'apaise ! J'écoutais le silence, une soif désespérée de l'entendre me dire...

J'essayais de me souvenir des larmes à la place, j'espérais les avoir retenues dans la pagaille, j'en avais des tonnes tout à l'heure dans une poche secrète... Des émotions qui traversent des siècles et des siècles sans perdre quoi que ce soit de leur justesse, de leur justice... Et je m'en étais jamais servi, alors ?

C'est à moment-là que j'ai attrapé l'âge de raison.

*Cet ouvrage a été composé
par l'Imprimerie BUSSIÈRE
et imprimé sur presse CAMERON
dans les ateliers de la S.E.P.C.
à Saint-Amand-Montrond (Cher)
en juillet 1990*